SANG ET PLUMES

DU MÊME AUTEUR

La Dérobade, Hachette, 1976.
La Passagère, Hachette/Mazarine, 1981
Premier bal, avec Julien Bigras, Hachette, 1981
Chez l'Espérance, Hachette, 1982
Malparade, Hachette, 1985

Jeanne CORDELIER

SANG ET PLUMES

roman

HACHETTE

A Patrick, Carole, Farid et Bébert

Alouette du souvenir
c'est ton sang qui coule
et non pas le mien
Alouette du souvenir
j'ai serré mon poing
Alouette du souvenir
oiseau mort joli
tu n'aurais pas dû venir
manger dans ma main
les graines de l'oubli.

« Sang et plumes »,
JACQUES PRÉVERT,
Spectacle.

A l'annonce du concours que vous lancez, « Sang et Plumes », en hommage au poète Jacques Prévert, où vous souhaitez que par écrit vous soit contée une tranche de vie, je réponds sans tarder, non pas que j'aie l'espoir de gagner — aux jeux comme en amour, la chance jusque-là m'a plutôt déserté — mais parce que j'ai le temps, beaucoup de temps, et que cela m'aidera peut-être à mieux le passer. Et puis surtout à appréhender les ténébreuses machinations où le sort m'a plongé.

Mon nom est Fantin, Sylvain Fantin. J'ai vingt ans et mèche au moment des faits et ne puis à ce jour me targuer de posséder un métier, attendu que depuis l'âge de seize ans je me suis exercé à tant qu'il m'a été impossible d'acquérir la maîtrise d'aucun. Je suis en effet passé dans un laps de temps transsonique de groom à manutentionnaire, de manutentionnaire à peintre en bâtiment, de peintre en bâtiment à barman, de barman à homme de ménage dans un sordide lupanar, d'homme de ménage à l'abjection en acceptant de ramasser pour quelques fervents des préservatifs usagés, que je leur revendais sous le manteau. C'est qu'hélas, monsieur, il semble y avoir un marché pour tout ! Mais je ne voudrais pas vous ennuyer avec mes tristes litanies. Vous imaginez bien le nombre d'occupations que l'on peut accomplir dans l'ombre ; il en est mille et parmi celles-ci bien peu sont glorieuses. Laissons donc.

Je vis chez mes parents. Passé un certain âge, ce n'est pas de son plein gré qu'on le fait. Pourtant je reste, car où aller, comment me payer un toit ? J'ai bien des copains qui se sont regroupés, mais ça sent la caserne chez eux, et je n'aime pas l'odeur des casernes. Je pourrais demander à ma tante Edwige de m'héberger, le temps que je me retourne. Il y a une chambre de vide chez elle, toute moquettée, seulement elle vit dans une banlieue chic, avec un assureur-conseil, et la chambre en question ils se la gardent, au cas où après avoir dîné chez eux le président de la République aurait besoin de dormir un peu. Paraît qu'il se rendrait chez les gens... Je me demande bien lesquels, parce que par ici, à des kilomètres à la ronde, j'en connais pas qui aient reçu sa visite. Faut dire que le site n'est ni rassurant ni reluisant. Et que les intérieurs n'invitent guère.

Chez moi par exemple, on a juste le nombre de sièges nécessaire au besoin de la famille : un pour mon père, un pour ma mère, un pour ma sœur cadette, un autre pour la petite dernière et celui qui reste pour moi. Et quand on s'y assoit, on est tous si fourbus les uns les autres que pour rien au monde nous n'en décollerions les fesses. Puis ma mère n'a jamais été bonne cuisinière, ni bonne ménagère ni bonne mère, au sens ou on l'entend généralement. En revanche, elle s'est avérée être une parfaite ouvrière. On ne peut pas exceller en tout.

Mon père, bien que d'abord bourru, est un être aimable — cependant pas au point de céder sa place, même à un illustre séant. Peut-être l'aurait-il encore fait il y a quelques mois de ça, mais plus maintenant. Maintenant quand il s'assoit, c'est pour rester assis. Il ne bouge plus de sa chaise, même après que la table a été desservie. Au chômage depuis trop longtemps, l'attente d'un emploi, qu'il n'espère plus, a usé ses dernières forces. Il est devenu si vieux, en si peu de temps, que nous, ses enfants, c'est à peine si on le reconnaît. Crainte de le déranger, on ne parle plus qu'à voix basse en sa présence. Et bientôt confondus dans le silence où s'abîment ses pensées, nous nous taisons. Les soirées, jadis paisibles, se passent désormais en querelles. Un rien, une huisserie qui grince, un robinet qui goutte, une ampoule grillée, une mouche tombée dans le lait : tout, depuis que mon père a perdu son emploi, est matière à disputes. Notez que ce n'est jamais lui qui les provoque ; il n'est pas querelleur de tempérament. C'est un homme calme, qui aime sa paix. La preuve : du temps qu'il travaillait encore — il était charpentier en fer, métier dont il tirait la plus grande fierté, fierté qui frôlait parfois le péché d'orgueil quand il parlait de l'époque où bonheur lui avait été donné de travailler à la réfection de la tour Eiffel — sa joie, quand il faisait beau, était le dimanche d'aller à la pêche accompagné de sa famille.

Nous pique-niquions aux bords des étangs du bois de Meudon. Après que nous nous étions restaurés, ma mère raccommodait, son transistor posé près d'elle ; ma plus jeune sœur, qui n'était alors qu'un bébé, dormait à ses côtés sur une couverture, la tête à l'ombre d'une feuille de journal en forme de chapeau de gendarme, tandis que ma cadette, adossée à un arbre, lisait en mâchant un brin d'herbe de ces romans-photos où les aristocrates s'éprennent des roturières. Moi, je pêchais auprès de mon père. Les jours de frimas il nous emmenait au cinéma, au Cirque d'hiver, au Jardin d'acclimatation, au Zoo, aux Catacombes. Il nous payait des marrons chauds, des gaufres, et quelquefois des diabolos, toujours dans des bistros proches d'une bouche de métro et assis près de la porte, de manière à montrer que l'on n'allait pas s'attarder. En semaine, sa journée de travail terminée et quand le ciel s'y prêtait, il rejoignait ses copains sur le terrain de boules. Autrement, il allait chez Mme Carro, qui tenait une épicerie-buvette, faire son tarot. S'il ne participait pas aux travaux ménagers, en revanche, il n'exigeait rien. Les moutons pouvaient voleter sous les meubles au moindre courant d'air, la poussière émousser le contour des choses, la vaisselle s'ériger en fragiles pyramides sur la pierre à évier, les lits rester ouverts des jours entiers, il s'en moquait, pourvu que son linge de corps et ses bleus soient propres. Il mettait un point d'honneur à toujours paraître impeccable. Ainsi m'apprit-il, à son insu je l'imagine, à acquérir de la noblesse, laquelle — je l'apprendrai à mes dépens — ne me protégera pas du mépris des nantis.

De retour au foyer dès huit heures, heure où nous avions coutume de passer à table, mon père, après s'être lavé les mains, mettait en marche le poste de télévision. Cela fait, il s'asseyait à sa place, trempait son morceau de sucre dans le verre de vin que ma mère lui avait servi, puis le portait à ses lèvres, silencieux et pensif, en suivant les efforts désespérés du présentateur, lequel tentait une fois de plus de nous faire avaler que le sensationnel allait nous être servi en entrée. Quand nous baignons dedans tellement que, si on n'y prend pas garde, l'horreur risque de devenir banale. La guerre, pensez, à force qu'on nous la montre, on s'y est habitués. On mange sa viande et ça tire sur l'écran, ça l'éclabousse. Pourtant, rien de ce que l'on se met sous la dent n'a saveur de sang, même plus le bifteck. Quand c'est pas le baroud qu'on nous sert, c'est la fin des autres, en train de se dessécher là-bas, au loin, de devenir si rien que l'idée ne nous viendrait même pas d'utiliser leurs os à quelques fins utiles. Encore que je voie mal à quoi pourraient servir des ossements humains. Toutefois, on ne sait jamais, à l'ère du progrès !

Cette parenthèse juste pour vous montrer combien les goûts de mon père sont simples. Du travail, du linge propre, une table dressée chaque soir à la même heure, sa partie de boules ou de cartes en semaine, sa partie de pêche ou son cinéma le dimanche : voilà mon père... enfin, tel qu'il était avant son licenciement — homme facile à contenter s'il en est !

C'est ma mère qui cherche querelle. Avant déjà, quand il jouissait encore de son emploi, elle accusait mon père de mollesse, lui reprochant de ne pas participer aux réunions syndicales. Disant que, si tous les ouvriers agissaient comme lui, les choses iraient de mal en pis. Active elle-même au sein du syndicat quand elle était salariée, elle trouve, outre le fait que nous ayons sans cesse à lutter pour conquérir de nouveaux droits, que ceux acquis restent à défendre, car, dit-elle, le manque de vigilance en ce qui les concerne est une action rétrograde que nos exploiteurs, qui eux n'en manquent pas, guettent sans relâche.

Mais je le répète, non pour tenter de l'excuser : mon père est un homme pondéré, jaloux de ses habitudes, des menues joies qui échelonnent son existence.

« Jamais un mot plus haut que l'autre » est, pourrait-on dire, sa devise, si (mais je crois qu'il est prématuré d'en parler) il n'y avait pas les étrangers. Une sorte de tradition sans doute, laquelle lui aura été transmise par ses parents. Des personnes si effacées, monsieur, que c'est à peine si, vous trouvant dans la même pièce qu'elles, vous vous apercevriez de leur présence. Humbles par excellence, en société elles retiennent jusqu'à leur souffle, aussi, à moins qu'on ne le leur demande avec force insistance, elles ne donnent jamais leur avis sur quoi que ce soit. Si d'aventure il leur arrive de le faire, c'est à mi-voix, en termes vagues, sans un seul instant se quitter des yeux, et toujours pour finir par acquiescer aux arguments qui leur ont semblé prévaloir dans la conversation. Elles balbutient plus qu'elles n'énoncent ; leur voix, telle une roue voilée, s'enraye dans leurs gorges tremblantes. Mais c'est qu'il y a tant de crainte en elles, tant de réticences, d'abnégation accumulée au cours des ans qu'on peut à peine leur en vouloir.

Mon grand-père, afin que vous situiez bien ceux dont je vous entretiens, était lithographe de son métier. Trente-deux ans de maison, sans jamais faillir à la tâche. Quant à ma grand-mère... mais peut-on nommer métier ce à quoi elle employait son temps ? Je vous en laisse juge, sachant qu'elle était femme de ménage dans les écoles. La maladie l'a frappée à l'âge de cinquante-quatre ans, âge qu'elle a jugé raisonnable en pensant à tous ceux qui en avaient été affligés dans les premières années de leur vie. Bravement elle a prêté son sein au bistouri, et quand nous sommes allés lui rendre visite à l'hôpital, alors que nous pensions la trouver alitée, nous l'avons vue dans le couloir s'avancer à notre rencontre, curieusement harnachée d'un tuteur métallique, supportant un bocal plein d'un liquide jaunâtre — qui par un tuyau souple s'écoulait goutte à goutte jusque dans ses veines. Au côté droit, sous sa main percée d'une aiguille, une poche de matière plastique, remplie d'impuretés, battait contre sa hanche à chacun de ses pas. Mais, pas davantage qu'au reste, elle ne semblait prendre garde au singulier réceptacle où s'accumulaient les déchets de son pauvre corps, uniquement occupée qu'elle était à nous accueillir le plus dignement possible. Tant bien que mal, elle se pencha pour baiser le front de ma sœur et le mien, alors que d'ordinaire elle nous embrassait sur les joues. Puis cela fait, très vite, s'enquit auprès de mes parents des probabilités qu'elle aurait de retrouver sa place, une fois rétablie. Car bien sûr il fallait se rétablir, et rapidement encore ! Ce jour-là, j'ai compris que la maladie pour nous n'était pas seulement un malheur, mais aussi une disgrâce, puisqu'elle nous dépouillait de tout à la fois. Cependant, je ne voudrais pas entrer dans le détail des infortunes de ma famille, lesquelles sont encore plus nombreuses que les diverses tâches qu'on accomplit dans l'ombre.

D'ailleurs, pourquoi en suis-je venu à vous parler de mes grands-parents ? Dans ma première esquisse, il me revient que je vous entretenais longuement de leur vie, ainsi que de celle de mes grands-parents maternels, et de leur tripotée d'enfants respectifs. Heureusement, j'ai eu le bon sens de ne pas poursuivre sur ce chapitre, vous épargnant ainsi une lecture ennuyeuse : vous aurais-je instruit de la vie de l'un, vous auriez sans peine imaginé celle de son pareil, attendu que ces destinées ont ceci d'extraordinaire qu'elles se calquent les unes sur les autres. Rien ne varie, ou presque, rien n'entrave. La mistoufle va sa route tranquille.

Ah, mais j'y suis ! C'est à propos de la tradition de l'effacement que mes grands-parents ont resurgi, quand je m'étais promis de ne plus vous assommer avec des histoires aussi banales qu'un sein de moins à la poitrine d'une femme, vouée de toute façon à la mutilation.

Pourtant, de même que le peintre a besoin d'un

ciel où appuyer son paysage, moi j'ai besoin d'une toile de fond pour bien camper mon personnage, lequel, nu parmi d'autres garçons de son âge, venus de milieux différents du sien, ne se distinguerait en rien. Par une sorte de grâce, j'ai échappé jusqu'ici à cette expression subtile, et par son essence même indiscernable, qui marque précocement le visage des miens, les remisant, dès les premières années de leur scolarité, au rang des quantités négligeables. Suis-je doté, ainsi que se plaît à en faire mention mon entourage, comme si cela avait pour effet de rejaillir sur lui, de quelques brillantes particularités d'esprit ? Il faut le croire. Ce qui ne cesse de stupéfier ma mère, tout droit sortie d'une lignée d'éthyliques. Ne voyez en cette dernière remarque aucun signe de mépris, j'en serais attristé. Entendez plutôt qu'une observation assidue de mon milieu m'a permis de constater combien l'alcool absorbé en doses abusives nuisait au développement intellectuel d'un individu, quand il ne l'annihilait pas tout à fait.

Mon père quant à lui, plus retenu et mieux né, en ce sens que ses géniteurs avaient en commun une aversion pour la bouteille, savoure le phénomène dans sa barbe, de sorte que je ne peux m'empêcher de penser qu'il se l'approprie. De fait, à l'occasion des fêtes de famille, poussé par quelques verres de vin hors de sa réserve habituelle, ne corne-t-il pas aux oreilles de ses voisins de table :

« Ce garçon, c'est tout moi ! »

De ma mère, à l'en croire, je n'aurais hérité que le caractère impétueux et les yeux, lesquels ne refléteraient pas toujours la raison. S'il entend par là que sa femme et son fils ont des transports, qu'ils fulminent contre l'injustice et qu'ils sont plus prompts à crier au charron qu'à obtempérer, je suis d'accord avec lui. Mais qu'il s'écarte, que, tendancieusement soutenu par ma tante et son assureur-conseil, il cherche à établir que ma mère et moi ne possédons pas toujours la faculté de juger sainement, là je m'insurge contre lui et tous ceux qui pensent de même.

Aux lois, aux règles, je veux bien me soumettre, mais encore faudrait-il qu'elles fussent les mêmes pour tous. Pas toujours le nanan pour les uns et le fouet pour les autres. Vous, monsieur, qui ainsi que je le suppose êtes un homme d'esprit, vous savez combien il est nécessaire à l'individu pour qu'il réussisse à se débarrasser de sa gangue de ne pas être confiné dans l'ignorance, ce qu'il est dans la majorité des cas. Ce pays, comme tant d'autres, est coupé en deux. Ça ne se voit pas. Il n'y a pas de mur ici, n'empêche...

Je suis né du mauvais côté, là où étaient nés mes parents, mes grands-parents, mes bisaïeuls, mes trisaïeuls, et ainsi, aussi loin qu'il me soit permis de remonter. Ne trouvez-vous pas cela étonnant ?

A moi, ça me fait penser à des croisements consan-
guins, lesquels, si l'on en croit la science, n'engen-
drent pas nécessairement des enfants forts. La
possibilité que j'avais de sortir de ce magma eût
été de poursuivre mes études, encore qu'aujourd'hui,
semble-t-il, un jeune, même muni d'un diplôme,
n'est pas à l'abri du chômage. Et quant au sentiment,
pour avoir eu autre chose que ma force brute à
mettre sur le marché du travail où j'ai connu
l'humiliation dès l'âge de seize ans en accomplissant
des tâches que je jugeais indignes de moi, j'aurais
au moins acquis, au cours de ces années d'étude,
un peu de cette arrogance qui me fait tant défaut
et dont regorgent ceux qui sont nés du bon côté.

J'oubliais qu'enfant d'ouvrier, on ne franchit
pas si aisément le seuil des grandes écoles. Ne
serions-nous point doués pour l'étude ? Ne s'en
trouverait-il pas parmi nous dotés de caractères
studieux ? Tous des têtes vides ? Allons ! Mais
d'abord, ces enfants connaissent-ils seulement l'existence de ces temples où sont formés leurs dirigeants ?
Savent-ils que, comme chacun, ils sont en droit d'y
accéder, et que ce qui les en empêche, en vérité,
n'est pas ce que de tout temps on a cherché et
d'ailleurs réussi à leur faire croire, à savoir qu'ils
ne possédaient pas l'intelligence requise, mais bien
plus simplement que leurs parents n'ont pas d'argent ? Moi qui les connais bien et qui suis partie
d'eux, je dirai que, sauf exception, ils ignorent tout

de cela, et que, quand bien même ils en seraient informés, à cette connaissance ils prendraient peur, marqués qu'ils sont par la longue tradition de l'effacement.

Moi-même, que la lecture précoce de certaines œuvres a éclairé, quand le choix — je vous demande de considérer ce dernier mot avec circonspection — m'a été donné de courir après un CAP de monteur-ajusteur, j'ai reculé. Tant d'obstacles à franchir, tant d'années perdues, tant de lourds objets à manipuler. Tant d'efforts vains pour quelqu'un qui comme moi rêvait dans le secret de son cœur de devenir entomologiste.

La vie des insectes avec ses mystères, ses drames incessants, m'a de tout temps passionné. C'est qu'il me semble y voir les hommes en plus petit. Penchez-vous sur une fourmilière, observez une ruche, la mouche qui se débat dans la toile d'araignée, l'araignée, sur le point de s'en emparer... ce n'est pas par crainte d'échouer que j'ai reculé, mais plutôt parce que je sentais peser la nécessité d'aller au plus pressé, c'est-à-dire de gagner ma vie, bien que mes parents se fussent toujours montrés d'une parfaite discrétion à cet égard, que jamais ni l'un ni l'autre n'eussent regardé avec malveillance ce qu'il y avait dans mon assiette, mais qu'au contraire ils eussent veillé sans relâche à ce que celle-ci fût bien remplie car, disaient-ils, « il faut des forces pour poursuivre ». Mais comment poursuivre sans se sentir coupable, quand nous étions cinq à vivre sur une seule paye et que, selon la formule d'usage, j'étais en âge de ramener mon bifteck ? Et qui plus est je sentais mon appétit se développer pour tout. A table, j'aurais mangé trois fois ma part, au lit lu quatre fois plus de livres, debout je me serais plu dans des vêtements plus seyants, aux œillades des filles j'aurais voulu répondre par des rimes croisées, et puis seul avec moi oser m'aventurer plus avant dans mes ronces.

Ainsi, vous le voyez, quand je vous demandais plus tôt de considérer le mot choix avec prudence, n'avais-je pas tort. Et, sans céder au déterminisme, puisque cette doctrine va à l'encontre de l'idée que j'ai qu'à tout instant l'homme est capable de prendre son destin en main, avouons qu'alors la chance de détourner le mien de son cours était bien mince. C'est ainsi que, serrant mes rêves avec mes cahiers d'écolier dans le fond d'un placard, je pris la route de l'hôtel V.

On y demandait un groom. Emploi que je pensais ne jamais obtenir, n'ayant aucune connaissance du travail hôtelier. Toutefois, poussé par ma mère, qui assurait que ma distinction naturelle jouerait en ma faveur, je m'étais présenté ainsi que l'exigeait l'annonce.

Je me souviens : nous étions sept, sept postulants

environ du même âge — l'aîné d'entre nous ne devait guère avoir plus de dix-sept ans — , venant du même milieu, ayant à un coup de ciseaux près tous la même coupe de cheveux : une coupe propre, entendez par là les oreilles bien dégagées, la nuque dénudée jusqu'à l'occipital, et la raie parfaitement droite. Nos vêtements étaient si pareils que, pour un peu, je me serais cru prématurément au régiment. Les plis impeccables de nos pantalons sombres, ainsi que les cols blancs de nos chemises, portaient tous l'empreinte de la main d'une mère. Et est-il besoin d'ajouter, monsieur, de combien d'espoirs s'étaient accompagnés leurs gestes ? Nos souliers fraîchement cirés reluisaient du même éclat noir et nos regards baissés sur eux témoignaient d'une semblable anxiété, tandis que nous attendions dans un couloir obscur que s'ouvrît la porte du chef du personnel.

Ce qui prit du temps. De nature circonspecte, je ne pouvais, durant l'attente, m'empêcher d'imaginer que le bonhomme nous observait par le trou de la serrure, ou même, je l'avoue, que nous l'étions par un système sophistiqué, tel un circuit de télévision intérieur, et alors que, faute de pouvoir régler les battements de nos cœurs, nous contrôlions le tremblement de nos genoux, une présélection se faisait à notre insu. Ceux de mes compagnons qui, à l'inverse de moi, faisaient montre de légèreté se fourraient les doigts dans le nez, se rongeaient les

ongles, et pis : certains d'entre eux, qui semblaient
ne rien redouter, se laissèrent même aller à se
gratter le derrière ! Tandis que moi, monsieur, moi
Fantin, persuadé d'être l'objet d'une surveillance
constante, je tentais de donner de ma personne la
meilleure image, convaincu, alors, que de mon
premier emploi dépendait tout mon avenir.

Rongé par l'inquiétude, j'essayais par mille
contorsions de mon esprit de me faire une idée
concrète de ce que ma mère nommait ma distinction
naturelle. Ce qui m'amena à penser qu'avant tout
je devais me tenir droit, plus droit encore que je
ne m'étais tenu jusqu'à présent, quitte à revêtir une
attitude guindée ; regarder droit devant moi, sans
toutefois à aucun moment fixer mes yeux sur quoi
que ce soit. Surtout pas sur la porte que finirait
bien par ouvrir le chef du personnel : non pour
mettre fin à notre supplice, mais parce qu'il se
jugeait assez satisfait du plaisir que notre attente
lui avait procuré.

Le temps passait, et bien que ce fût de façon
inconfortable, je me gardais à l'exemple des autres
postulants de réajuster à tout bout de champ mon
nœud de cravate, geste qui dévoilait que le port de
celle-ci leur était inhabituel. Je ne cédais pas non
plus à la tentation d'explorer mes poches, pour faire
— comme si c'était le moment ! — l'inventaire des
menues choses qu'elles contenaient : quelques tickets

d'autobus mâchonnés, quelques particules de consistance suspecte et une liste de commissions dont je m'étais trouvé chargé un dimanche matin. Ah, les sots, qui, ne soupçonnant pas d'être épiés, s'offraient par cet abandon de gestes intimes à la dissection de leurs caractères ! Pardonnez, monsieur, mon sang bout à l'évocation de ce jour où nous passâmes près d'une heure debout dans le couloir mal éclairé. Et si je vous fais grâce de la dégradation des comportements, sachez cependant que certains de mes compagnons, faisant fi de toute tempérance, allèrent jusqu'à raconter des blagues, lesquelles étaient rarement de bon goût. Fort heureusement, l'apparition du chef du personnel mit fin à ces trivialités.

Pourquoi ne vis-je d'abord de celui-ci que les pieds ? C'est fort simple, j'avais les yeux baissés quand il ouvrit la porte et durant tout le temps qu'il nous examina je les gardai ainsi. C'est pour cette raison que dans un premier temps je vous entretiendrai de ses pieds. Ces pieds sont grands, telle est ma première observation ; la seconde étant que ceux-ci sont confortablement chaussés de souliers anglais, autant que s'étende ma connaissance en ce domaine. D'ailleurs qu'importe la provenance, à l'œil le cuir est de bonne qualité, la semelle est à la fois robuste et fine, les lacets sont solides. Ces chaussures, qui sont faites pour affronter les intempéries, représentent pour moi le symbole de l'homme, sinon arrivé, du moins bien installé dans une place conquise à force d'acharnement, de concessions et, pourquoi le taire, de bassesses ; et qui n'a pas l'intention de se la laisser usurper. Ne me fondant toujours que sur une paire de souliers, je dirai que celui qui la porte a entre quarante-cinq et cinquante ans. Dans le dernier cas, dix ans seulement le séparent de l'âge de la retraite, dix années encore de compromissions ; mais il n'y pense pas, attendu que depuis longtemps sa conscience ne lui demande plus de comptes. Si je vous parle de cet homme, ce qui *a priori* peut paraître de peu d'intérêt, c'est que celui-ci a joué dans ma vie, ainsi que vous allez le constater par ce qui suit, un rôle prépondérant.

Ce jour donc où, en compagnie de six autres garçons aspirant comme je le faisais moi-même à une place de groom, j'attendais, debout dans un couloir de l'hôtel V, observant avec une attention croissante les pieds du chef du personnel, que ce dernier, lorsqu'il aurait fini de nous considérer, daigne nous adresser la parole, une question se posait à mon esprit curieux : sur quoi reposaient ses critères de sélection ? Le fait que certains des postulants aient déjà travaillé dans l'hôtellerie jouerait-il, par exemple ?

Dans cette éventualité, le choix se ferait-il alors en fonction du lieu plus ou moins prestigieux où l'occupation aurait été exercée, de sa durée ? Ou, prudent, l'homme chaussé de souliers anglais choisirait-il tout simplement de s'en remettre aux certificats des employeurs précédents ? Se trouvait-il parmi mes compagnons quelques veinards munis de lettres de recommandation ? Le cas échéant, jusqu'à quel point celles-ci pèseraient-elles dans la décision du chef du personnel ? Y verrait-il une manière de se faire forcer la main, impression rarement agréable, qui risquait d'avoir pour effet que l'avantage escompté par les détenteurs se retourne contre eux ? Ou au contraire se plierait-il à la requête selon qui la lui adressait ? A moins, je l'espérais, qu'uniquement soucieux de former un novice, il passât outre à tout cela et ne jugeât que sur la mine.

Au cours des minutes qui s'écoulèrent et durant lesquelles j'éprouvais la pénible sensation d'être jaugé ainsi que l'eût été un vulgaire veau sur une place de foire par l'œil d'un maquignon avisé, je pensais à ma mère et son visage volontaire prenait forme sous mes paupières. De ses lèvres fermes qui, me semblait-il, ne molliraient jamais, s'échappaient ces mots familiers : « Tu possèdes la distinction naturelle qui appelle les grands destins ; ne l'oublie pas, Sylvain. » Je ne puis m'empêcher de sourire à l'évocation de ce souvenir, car à supposer que le chef du personnel ait porté sur moi le même regard qu'y portait ma mère, il aurait dès lors été clair qu'un autre aurait emporté l'emploi. Par fortune, ce n'était pas le cas et si un fait des plus anodins n'était survenu, sans doute n'aurais-je pas été distingué de mes compagnons.

Mais il arriva qu'un bouton se détacha de son gilet. Au bruit sec qu'il fit en tombant sur le parquet je relevai la tête et mon regard rencontra celui de l'homme dont jusqu'alors je n'avais vu que les pieds. C'était un regard dur où perçait l'ironie. Je le soutins cependant, puis au bout d'un moment et sans plus réfléchir, me moquant bien d'être pris par les autres pour un lèche-bottes, je me baissai afin de ramasser l'objet, qu'après m'être relevé je tendis, en m'inclinant, à son propriétaire.

« Mon nom est Fantin, lui dis-je, Sylvain Fantin, à votre service. »

Cela produisit son effet, puisque sans plus tarder je fus convié à pénétrer dans une vaste pièce, dont l'éclairage exubérant contrastait violemment avec celui si pauvre du couloir. Une fois la porte refermée, le chef du personnel s'installa dans un profond fauteuil dont les mordorures du cuir rappelaient celles des feuilles d'automne, tandis que je restais debout à bonne distance du bureau dressé entre nous telle une palanque. Comme il ne disait rien, se bornant à m'observer à travers le rideau de ses cils, tels les juges dans les cours — ainsi qu'il m'avait été donné de le constater ce jour où j'avais accompagné mon ami Poil Dur à la treizième chambre correctionnelle où il comparaissait pour vol de voiture — mes genoux, que j'avais oubliés, recommencèrent à trembler, les paumes de mes mains à s'emplir de moiteur, mon cœur à battre à un rythme insensé. Un moment s'écoula dans un silence si lourd que ma nuque finit par ployer. Enfin, l'homme confortablement chaussé consentit à soulever une paupière.

« Ton nom, me dit-il posément, ton nom c'est quoi déjà ?

— Fantin, m'étais-je aussitôt empressé de répondre, Sylvain Fantin », surpris comme vous pouvez l'imaginer de m'entendre ainsi tutoyé par quelqu'un dont quelques heures auparavant j'ignorais l'existence. Je sais qu'il est courant chez nos aînés d'avoir recours au tutoiement quand ils s'adressent à leurs cadets et que cette pratique, même si elle implique toujours à mon sens une valeur dépréciative, n'en est pas pour autant forcément discourtoise. Dans la situation présente, il ne faisait cependant aucun doute que celui qui avait choisi d'en faire l'usage l'appliquait à cette fin. Aussi ne pouvais-je m'empêcher de penser, malgré mon malaise croissant, que je me trouvais en présence d'un butor. Quel besoin avait-il en effet de cette impolitesse pour souligner encore sa supériorité ? Quand j'étais là, à sa merci, pour ainsi dire pieds et poings liés, debout dans une pièce dont l'éclat à lui seul m'écrasait. Et pourquoi ? Pour quêter un emploi de larbin, qui ne consistait en rien, sinon à se courber devant les galetteux, à porter leurs valises, à leur ouvrir les portes, à courir pour eux de sorte qu'ils économisent leurs forces, à déplacer de l'air de façon qu'ils respirent plus amplement, accoutré pour parfaire la blague d'une livrée ridicule ! Ne prenez pas mes mots trop gros, plutôt tâchez de les considérer avec justesse, et cela fait, convenez avec moi qu'à se vouloir trop prééminent l'homme en question révélait son inélégance. Hélas, je n'étais pas en position de tirer profit de cette découverte.

« Fantin, a murmuré mon juge, Fantin, voyons Fantin, ce nom me dit quelque chose... J'ai connu un Fantin. »

Sur ce il s'était tu, plissant le front et avançant les lèvres à la recherche d'un Fantin enfoui dans sa mémoire. Un camarade d'école peut-être, un copain de régiment, un vieux rival ? A cette dernière hypothèse, mon inquiétude s'était encore accrue : qui sait les réactions que peut provoquer le souvenir d'un rival dans un cerveau étroit ? Je m'attendais à tout, quand soudain il s'est écrié :

« Fantin ! Mais j'y suis, Fantin-Latour, tu descendrais du peintre ? »

J'ai répondu « Non » et aussitôt m'en suis voulu : non pas que mon intention ait été de m'octroyer une ascendance prestigieuse, mais parce que ce « non », je l'avais prononcé sur le ton de l'excuse.

« Ainsi, tu ne descends pas du peintre ? a soupiré

l'homme chaussé de souliers anglais. Dommage... Et de qui descends-tu alors ?

— De l'homme, répondis-je nûment.

— De l'homme ! s'exclama le chef du personnel. Décidément, tu ne doutes de rien ! »

Caressant sa cravate, il éclata d'un rire gras qui résonna à mes oreilles comme autant de paillardises et, malgré l'intense contention de mon esprit tendu vers le seul but de ne rien perdre de ma distinction naturelle, je sentis mes joues s'empourprer.

« Fantin », a répété l'homme confortablement chaussé quand son accès d'hilarité se fut calmé, et j'eus l'impression que ce disant il faisait un effort pour soulever celle de ses paupières qui jusqu'alors était restée mi-close.

« J'avais quatorze ans quand j'ai débuté ici en qualité de groom et tu vois où je suis... Aimerais-tu occuper un jour ce fauteuil ? On y est bien assis. Il est confortable, moelleux, profond, si profond qu'il te permet de t'y laisser aller en toute quiétude. Il étouffe tous les bruits. C'est important pour un qui prétend descendre de l'homme de péter sans encombre, en as-tu conscience ? Promu groom, il ne te sera possible de consentir aux exigences de ton ventre qu'à tes moments de pause ; le reste du temps, il te faudra, quelle que soit la force de celles-ci, te retenir, un taxi, une limousine, une voiture de maître pouvant survenir à tout instant, une cliente s'approcher de toi à l'improviste pour solliciter tes services. Il s'agira souvent de menues choses — telles qu'aller faire pisser son chien ou sa meute, courir lui acheter une nouvelle paire de bas, un de ces bichons venant de filer de ses griffes celle qui lui gainait les jambes. Un client te tapera sur l'épaule afin que promptement le cigare qu'il te brandira sous le nez soit allumé, ou encore pour que tu bondisses à travers le hall, parfois jusque dans les étages, en quête d'une brosse à habits, après quoi, revenu à ton point de départ, il te faudra avec application et déférence, comme si tu étais chargé là d'un service insigne, brosser le col d'un veston ou d'un pardessus qui, durant le voyage en ascenseur, se serait couvert de pellicules. Mille choses, Fantin, mille choses insignifiantes, dont aucune pourtant ne te laissera le loisir de lâcher le moindre vent sous peine, à la découverte de ton premier abandon — et, si ce n'est pas un client qui te prend en faute, ce sera un membre du personnel, tous l'odorat exercé, tous cafardeurs, tu l'apprendras à tes dépens —, de passer en conseil de discipline. Ton second écart se soldera par une mise à pied de huit jours. En cas de récidive je me verrai dans l'obligation de te foutre à la porte. »

Sur ces mots, et je vous demande, monsieur, de me croire sur parole, l'odieux personnage avait soulevé du cuir où il se trouvait enfoncé une partie de son fessier, puis après s'être soulagé, du moins avais-je ainsi interprété son geste, il avait déclaré sans gêne :

« La raison profonde, la seule, la vraie pour laquelle j'ai gravi les échelons, se résume en ceci : m'épancher à ma guise, où bon me semble, quand il me plaît. Eh bien, es-tu prêt à te martyriser les boyaux ainsi que je l'ai fait moi-même durant des années, pour accéder au poste que j'occupe actuellement et qui me donne, ne l'oublie pas, le rare privilège de ne pas avoir à taire les bruits de mon cul ? »

Je ne savais que répondre, car songez, monsieur, au cœur de quelle perplexité me plongeaient semblables propos. Au vrai, j'étais partagé entre le désir de dire son fait à l'homme qui se trouvait en face de moi — lequel à n'en point douter eût préféré avoir aux pieds des fers à cheval plutôt que des souliers anglais, sinon pour galoper du moins pour donner libre cours aux pétarades qui par leur extravagance distinguent les équidés des autres mammifères terrestres — conscient du fait qu'en agissant de la sorte tout espoir d'emporter l'emploi m'échappait, et celui de m'incliner devant l'homme qui cherchait à me faire bénéficier de son expérience, en le remerciant de sa franchise, brutale certe, mais venant à point nommé confirmer ma pensée — à savoir que le métier de groom n'est pas une sinécure.

Il en va ainsi de bien des métiers, je le sais. A ce propos, devrait-on nommer métier ce qui n'est en réalité qu'une occupation destinée dans la plupart des cas à notre survivance — attendu que nous agissons dans le but, circonscrit par la nécessité immédiate de payer notre logis, notre boire et notre manger — et dont par conséquent nous ne tirons pas la fierté que confère à l'homme un vrai métier ? Mais je ne voudrais pas vous importuner avec ces questions de vocabulaire, lesquelles, me semble-t-il, sont encore plus nombreuses que les infortunes qui accablent mon ascendance.

Celle-ci justement me pesait plus que jamais et déjà à demi vaincu, je m'apprêtais à soulever les épaules, faisant par là même part de mon indécision à celui qui me provoquait à répondre clairement, quand, soit touché par mon malaise, que je ne pouvais plus cacher, soit pour augmenter le poids de celui-ci, le chef du personnel me dit :

« Fantoche. »

Aussitôt j'objectai, lui rappelant que mon patronyme était « Fantin », mais sans tenir compte de ma remarque il poursuivit :

« Es-tu de ceux qui croient que leur crasse peut leur servir éternellement de paravent, ou au contraire des autres qui pensent que plus vite ils s'en seront débarrassé et mieux ils se porteront ?

— Des derniers », répondis-je sans hésiter ; d'autant plus, et sans vouloir pousser trop loin la confidence, que j'avais fait ma toilette en grand le matin même, ce qui n'arrive pas tous les jours, attendu qu'il nous faut économiser l'eau chaude et que par tempérament je déteste l'eau froide, l'eau en général. Un chat, dit de moi ma mère, qui les affectionne par-dessus tout. Nous en avions un, une sorte d'infant tout droit descendu d'une gouttière ibérique : je veux dire par là que ses maîtres, des gens d'origine espagnole, l'avaient oublié sur le rebord d'une fenêtre quand ils avaient déménagé. Lord Snowdon était son nom, ainsi baptisé par ma sœur cadette, laquelle trouvait qu'il ressemblait au premier mari de la princesse Margaret. Il a fini sous une voiture, monsieur, et ma mère a eu beaucoup de mal à se consoler de sa perte. Mon père, en revanche, en a été soulagé, parce que, tout conciliant qu'il soit, il ne peut pas sentir les chats, de qui il dit qu'ils sont sournois et puis que leur urine empeste. Moi, plutôt qu'une véritable inimitié, je vois là de la jalousie. Il faut reconnaître que ma mère dispensait plus de caresses à Lord Snowdon qu'à son mari.

Mais pardon, et pour en terminer avec ce fameux jour, j'ai remporté l'emploi. Davantage, je crois, n'en déplaise à ma mère, grâce à l'humour contestable du chef du personnel qu'à ma distinction naturelle.

J'ai travaillé dix mois à l'hôtel V, où je jouissais de l'estime générale. Mes camarades m'aimaient tant qu'ils avaient fait de moi leur mascotte.

Persuadés que je portais bonheur, ils ne commen-
çaient jamais leur journée sans me toucher, si bien
que j'étais toujours le dernier à revêtir ma livrée,
mais le premier au garde-à-vous près de la porte à
tambour. Les autres traînassaient, grappillaient une
minute par-ci, une minute par-là, nombre d'entre
eux fumaient à l'abri des colonnes la dernière
cigarette possible avant la première pause. Moi je
n'avais pas encore attrapé ce vice. J'étais tout neuf,
comme disaient les anciens, et Dieu sait s'ils avaient
raison ! Outre mes camarades, le chef du personnel
m'avait à la bonne. Pour lui je n'étais pas la
mascotte, mais le poulain. Il n'était pas un jour
qu'il ne me flattât l'encolure.

« T'es de ceux qui grimpent, m'assurait-il, j'ai
bien misé. »

A la maison, c'était la fête. Les miens étaient
fiers que je sois larbin, car il y a larbin et larbin :
moi, je l'étais du beau monde. Mon pauvre homme
de père, qu'enhardissait ma promotion, me demandait en douce comment étaient faites les femmes
riches, si elles avaient autant de poils que les autres
au bon endroit. Ou si elles s'épilaient là aussi pour
faire plus soignées. Je lui répondais que celles qui
s'étaient montrées à moi toutes nues m'avaient fait
peur et pour le reste, car on en voit de toutes les
couleurs dans le métier, certaines, lorsqu'elles se
découvraient un poil blanc, se faisaient teindre toute
la toison. Ce qui laissait le bonhomme rêveur. Ma

mère, quant à elle, persuadée que ma distinction naturelle finirait par me servir, m'imaginait prochainement chef du rang. Là était mon zénith à ses yeux. Pour ma sœur cadette très jeune encore, mais déjà pervertie, j'étais devenu dans le domaine qui l'intéressait une précieuse source d'information.

« Comment sont les princes ? » s'enquérait-elle chaque soir auprès de moi. Avais-je eu, ne serait-ce que fugitivement, l'occasion de toucher leurs habits ? De quel mélange de fils précieux étaient-ils tissés ? Et leurs parfums, n'en avais-je point rapporté les effluves avec moi ? Ils étaient grands, bien vrai ? Grands et minces et tout blonds ? Leurs yeux étaient bleus comme le ciel, leurs dents d'une blancheur de neige, la pourpre de leurs lèvres égale à celle des manteaux qui drapaient leurs superbes corps, l'ovale de leur visage était pur, leurs mains longues, leurs doigts fins, leur... Elle m'implorait :

« Toi qui en as vu en chair et en os, raconte ! » suppliait-elle, et d'impatience tout son corps frémissait.

Oubliant toute retenue, elle se collait contre moi, me flairait comme une lice l'aurait fait à son mâle au retour d'une battue. Si bien qu'un soir, n'y tenant plus, je lui lançai :

« En fait de prince, il n'est que l'argent. »

Dépitée, elle me cracha à la figure. Pour mortifié que je fus ce jour-là, je n'en laissai rien paraître, j'avais pris en effet à l'hôtel V l'habitude d'essuyer des vexations, et autrement cuisantes. Une de celles-ci me désigna à la vindicte publique.

Tout arriva un soir du mois d'octobre. Alors qu'il pleuvait à verse et que je courais du hall au trottoir abritant sous mon large parapluie noir les clients qui entraient et sortaient de l'hôtel V, l'un d'eux me glissa dans la main un pourboire qu'au toucher je jugeai être mirobolant. Je jubilais et déjà faisais des projets, quand il me souvint que selon l'usage la piétaille devait, sa journée une fois terminée, monter vider ses poches sur le bureau du chef du personnel afin que ce dernier, auquel il plaisait de jouer le rôle de répartiteur, pût équitablement partager les pourboires. J'étais pas partageur ; travaillant avec zèle, le fruit de mon labeur je le voulais pour moi tout seul. Raisonnement que ma mère jugeait indigne d'un bon communiste. Si je baissais les yeux à l'énoncé de cette observation, sachant qu'elle n'était pas dénuée de fondement, ce jour-là ma conscience, à qui je la répétais, fit sans effort la sourde oreille. Prétextant une subite indisposition auprès du portier, je refermai mon parapluie et filai aux toilettes réservées à l'usage du personnel, lesquelles se trouvaient si éloignées de mon poste qu'avant de les atteindre tout pouvait arriver. Dieu merci, pour l'heure, je n'étais pas soumis à des contingences d'ordre organique. Rien pour moi ne pressait, sinon de planquer mon raccroc.

Mais où ? Spontanément, j'avais bien pensé à la chaussure. Mais la chaussure c'est un vieux truc, tout le monde a l'œil dessus au moment du déshabillage ; de plus, l'homme aux grands pieds, fureteur de première, n'hésitait pas à nous les faire enlever quand ça le prenait, et les chaussettes avec ! Le slip jamais encore. C'est pourquoi je décidai de cacher mon bien en cet endroit, entre l'élastique et ma peau de sorte qu'il ne risquât pas de glisser. Pour ce faire, j'avais choisi un cabinet dont la porte fermait au verrou et là, n'ayant d'autre que moi comme témoin de ma convoitise, je m'étais empressé de vérifier mon approximation... qui se révéla être au-dessus de mes espérances, puisque j'avais entre les mains quatre coupures de cinq cents francs. Une somme ! A laquelle, à mon étonnement, se trouvait adjoint un billet dont je vous livre ici le contenu :

« Si vous ne répondez pas à mon invitation, qu'à cela ne tienne, cet argent restera le vôtre. Si, au contraire, vous consentez à y répondre, vous vous verrez gratifié du double. Ne craignez pas pour votre intégrité, à aucun moment celle-ci ne sera menacée. Je vous attends après votre service, chambre 312. La porte sera entrouverte. »

En glissant contre ma peau ce qui un instant plus tôt représentait pour moi la clef des champs, puisque toujours plus prompt à m'en remettre au rêve qu'à considérer les imprévus qu'inexorablement la réalité draine jusqu'à nous, je m'étais imaginé qu'après avoir donné une partie de mon raccroc à ma mère, j'aurais mis le reste à gauche, en vue de me payer la moto que je convoitais : un engin honnête. Dès notre premier entretien, le vendeur, à qui j'avais fait part de mes limites pécuniaires, s'était montré coopératif. Avec trois mille cinq cents francs comptant, j'emportais la bête ; autrement, fallait compter cinq mille, quatre mille huit pour moi qui avais la réputation d'un travailleur. Il m'était revenu qu'au cours d'une discussion que nous avions eue entre camarades, où nous nous questionnions sur les possibilités qui s'offraient à nous de posséder un jour une bécane — et de conclure qu'il n'y en aurait pas tant que nous vivrions chez nos parents, à qui les trois quarts du temps nous remettions l'intégralité de nos salaires —, l'un d'eux m'avait confié que pour pallier cet inconvénient, il lui arrivait de faire des extras, lesquels, s'ils n'étaient pas toujours de nature plaisante, se révélaient néanmoins à tous les coups payants. J'en étais resté médusé, mais lui, sans se démonter, avait ajouté :

« Ben quoi ? C'est pas pour ça que t'es pas un homme ! »

J'étais pas sûr qu'il ait raison, pas sûr du tout même ! Aussi, sans plus me tâter, j'avais jeté l'invitation dans la cuvette maculée de fèces, puis j'étais retourné à mon poste.

La pluie avait redoublé d'ardeur et les trottoirs alors étaient comme bâchés par une innombrable quantité de parapluies dont la multiplicité des motifs et des couleurs étonnait. Le rouge toutefois y dominait par sa luisance, qui tranchait sur le gris du ciel — lequel, à l'instar d'une langue de terre détachée de son point d'ancrage, dérivait au faîte des immeubles magistralement alignés jusqu'à la place D, là où parvenue sa pointe, semblant se rouler sur elle-même, formait une masse noirâtre qui s'adossait aux platanes spectraux dont le feuillage en été voilait les murs d'un asile de vieillards. A l'image du ciel, les passants se précipitaient tous ou presque dans cette direction. C'était un carambolage de baleines dans le sens du flux, où sous la poussée du vent les parapluies se retournaient, s'envolaient les chapeaux et les pans de manteaux. Les jurons fusaient et l'on eût dit que par instant, pour tenir tête aux éléments, les gens semblaient tout prêts à s'encorder.

Un menu vieillard charrié par la foule échoua contre moi ; aussitôt je lui prêtais mon bras et mon abri.

« Quel zef, me dit-il, voilà qui va procurer de l'ouvrage aux couvreurs. »

Puis me considérant, mi-grave, mi-amusé, il avait ajouté :

« Vraiment jeune homme, vous m'avez pris pour un rupin ? »

Je souriais, lui secouait sa tête chenue dégouttante d'eau.

« C'est, poursuivit-il facétieusement, que vous n'avez pas observé mes pieds. »

Je regardai ses pieds. Ils étaient nus dans des chaussons de lisière. Ce n'est pas par altruisme, mais plutôt par bonasserie, parce que je ne puis supporter la misère d'autrui que, me tournant pour ne pas être vu du portier, je fourrai vivement la main sous ma ceinture et prompt glissai un billet au vieillard. Il n'eut pas le temps de me remercier ; d'ailleurs, je ne l'aurais pas voulu. Un taxi arrivait ; je me hâtai d'aller en ouvrir les portières. Deux femmes nouvellement sorties de chez le coiffeur se pressèrent contre moi. Entre elles, enveloppé du parfum qu'exhalaient leurs fourrures soyeuses, je pensais au vieux, me demandant quelle tête il ferait quand il se verrait riche de cinq cents francs. Et je me réjouissais à l'idée que cette nuit peut-être, en compagnie d'un gueux comme lui, il ferait bombance dans une brasserie.

Rétrospectivement je me dis, mais ce n'est là qu'un alibi tentant d'excuser ma conduite passée, que cette brève rencontre avec le vieillard a influencé ma décision. J'ajoute cependant à ma décharge que le contraste qui existe entre la richesse et la pauvreté ne m'avait encore jamais si insupportablement frappé. De cette connaissance accrue était jailli un trait de lumière me montrant l'urgence qu'il y avait à saigner les nantis. C'est pourquoi ce soir-là, ma besogne terminée, je me mis en devoir de soulager le 312 de son trop-plein d'écus.

La porte se trouvait bien entrouverte ainsi qu'il était mentionné sur le billet, mais pas une lueur ne filtrait de cette ouverture. Surpris, je toquai doucement au panneau de bois sombre... Nulle réponse. Je m'apprêtais à récidiver quand une femme de chambre surgie d'une niche me dit en me frôlant :

« Rentre petit, sinon tu vas passer ta nuit ici. »

Pour montrer que je n'étais pas indifférent à son conseil, je lui adressai un signe de tête, mais pour entrer j'attendis qu'elle s'éloignât. Elle le fit en traînant son corps lourd jusqu'à un cagibi où elle disparut. Alors je m'introduisis dans la chambre, dont machinalement je refermai la porte derrière moi. Nul ne m'accueillit sinon l'ombre et le silence, lequel était total. A croire que l'homme dont la haute silhouette se détachait sur le fond clair des voilages n'avait pas de poumons. Il était coiffé d'un chapeau que j'imaginai être de feutre, et comme ces modèles le sont souvent, agrémenté d'un court faisceau de plumes chatoyantes. Malgré la chaleur ambiante, il avait gardé sur lui son manteau, dans les poches duquel ses mains disparaissaient, et si les volets n'avaient pas été clos, on aurait pu le croire absorbé dans le spectacle de la rue. Pourquoi je ne sais — sa taille peut-être, son maintien ? — il me semblait être en présence d'un militaire. Comme à l'ordinaire ma tenue à moi était impeccable. Talons serrés, bras raides le long du corps, menton droit, lèvres closes, regard fixé sur une ligne d'horizon imaginaire, j'attendais les ordres. Et contre toute attente, n'éprouvais aucune appréhension. En revanche, une tristesse indéfinie, semblable à celle où m'avaient plongé les paroles de Boule d'Or ce dimanche, quand en sortant du cinéma elle m'avait confié sans la moindre malice que, lorsque je la caressais, lui apparaissait régulièrement la vitrine de la boutique de produits régionaux, située en face la salle, étreignait mon cœur.

L'homme continuait d'ignorer ma présence. Devais-je comprendre par son silence que je pouvais m'en retourner ? Qu'il n'attendait pas plus de ses semblables que des choses dont il lui suffisait de savoir, pour être satisfait, qu'il pouvait les acheter ? Sans doute en cela résidait la cause de ma tristesse : être pris pour une chose. Ce fameux dimanche où ingénument Boule d'Or s'était ouverte à moi de sa vision, qui, disait-elle, ne variait jamais — à ceci près qu'à chacune de ses représentations la quantité de victuailles augmentait — je me souviens qu'après le dépit éprouvé de m'être senti trahi par une devanture, j'avais compris que l'amour tel que je me l'étais imaginé n'existait pas.

Dans la chambre obscure, raidi dans un fixe irréprochable, c'est moi qui n'existais pas. A la suite des événements survenus au cours des dernières minutes, je m'étais transformé en chose. J'étais une chose qui en convoitait une autre. C'était là la raison de ma présence en ce lieu. La dénomination de la chose convoitée était : moto. Moi, je n'avais pas de nom de chose, ce qui ajoutait à ma mélancolie, car passer de l'état d'homme à l'état de chose, bigre ! Mais à celui d'une chose non identifiable, la mutation était fichtrement douloureuse. Cependant, je ne voyais pas, si tel désormais devait être mon lot, comment il me serait possible d'acquérir un nom, attendu qu'ils étaient tous pris. Restait qu'en en croisant deux je pouvais en inventer un. Nœud et gordien par exemple.

« Bonjour, je suis un gornœud » : ça ne passerait pas, les gens aiment bien savoir ce qu'ils achètent. Le mieux donc, le plus raisonnable, aurait été que j'emprunte le nom d'une chose usitée ; ce qui, je le comprenais, n'irait pas sans difficulté puisque, malgré tous mes déchirements internes, j'avais conservé ma forme primitive. Comment me définir dès lors ? Qu'étais-je devenu ? Repensant à Boule d'Or, à notre amour naissant qui pourtant battait de l'aile, à mon boulot de larbin, à mon impeccable tenue dont je n'osais me départir bien que je fusse conscient de son ridicule, à ce que j'acceptais, à ce que je me préparais à accepter pour un jour pouvoir chevaucher une motocyclette, à l'avenir hypothétique qui s'offrait à moi, je trouvai le nom qui me convenait. L'homme chaussé de souliers anglais m'en avait baptisé autrefois : Fantoche !

Mon hôte se retourna, il le fit lentement, prenant si bien son temps que j'avais l'impression qu'il se mouvait au ralenti... Curieux de voir à quoi il ressemblait, je scrutais l'obscurité d'où peu à peu émergeait la tache claire de son visage. De profil, l'importance du nez me frappa. C'était un de ces nez que l'on dit en bec d'aigle, un piton dont l'extravagante proéminence reléguait le reste de la face au second plan. Il s'agissait de balivernes, je le savais pourtant en me remémorant les paroles maintes fois entendues au vestiaire, à savoir que les filles étaient particulièrement attentives à cet organe qui laissait présumer de l'importance d'un autre, en saillie lui aussi, je sentais l'inquiétude me gagner. D'autant que plus la forme généreuse se précisait à mes yeux, plus il devenait évident que j'avais déjà croisé ce nez-là quelque part. Certes, il ne m'était pas aussi familier que le mien, mais presque... Bientôt, les yeux m'apparaîtraient : comprenant alors que je ne pourrais pas supporter le regard qu'ils poseraient sur moi, je baissai la tête. L'homme s'avançait à pas comptés, comme s'il avait tout son temps, que rien ne le pressait. Sûr désormais que sa proie ne pouvait plus lui échapper, il faisait durer le plaisir, jouissait à l'idée que, dans un instant proche, il allait pouvoir la toucher. Exiger d'elle qui sait quelle fantaisie ! J'étais piégé. Encore quelques pas et je sentirais son souffle sur mon front. Nos pieds se toucheraient, là, dans l'ombre où petit à petit chacun de mes sens retrouvait de son acuité. J'en frémissais de dégoût et pourtant je ne bougeais pas. Un pied se posa sur le mien, l'écrasa... Cette chaussure ! Non, c'eût été trop d'ironie ! Pourtant, la restituant soudain à son propriétaire, je compris qu'une période de ma vie, somme toute confortable, prenait fin.

« Pourquoi es-tu venu, Fantin ? me questionna le chef du personnel, j'avais mis tant d'espoir en toi. »

N'ayant pas d'arme pour lutter, je me rendis, qu'y avait-il d'autre à faire ?

Dès le lendemain, la police intérieure de l'hôtel V m'exécuta sans pitié. Je fus licencié pour immoralité.

Il est, paraît-il, des coups dont on ne se remet pas. Possible. Pour ma part, je sais assurément qu'après mon licenciement de l'hôtel V quelque chose en moi a changé. Ça n'a pas échappé aux autres, puisque j'entendais couramment dire à mon sujet :

« C'est plus le même. »

Ma mère s'abstenait désormais de parler de ma distinction naturelle, quant à mon père, qui avait toujours fait preuve de réticence quand il s'agissait de soutenir mon regard, il l'évitait dès lors sans se gêner. Ma sœur cadette jouait à la poupée avec la petite dernière. Coupé du beau monde, je ne l'intéressais plus.

Je me sentais de trop, pas à ma place, puis surtout j'avais le sentiment d'étouffer parmi eux, en même temps qu'il me semblait ne plus tout à

fait mériter de partager leur toit. Aussi un jour ai-
je demandé à mes parents la permission de m'instal-
ler dans la cave. Elle me fut aussitôt accordée.

Il s'agit d'un lieu humide et sombre, uniquement
éclairé par un soupirail ; pourtant, c'est là où je me
plais. Là, j'ai ma paix, mon lit, ma table, ma chaise,
mes livres et mes formes. Oui, je donne une nouvelle
forme, monsieur, aux divers matériaux que je récolte
au fil de mes errances. Je lave, je brosse, je soude,
j'agrafe, je colle, j'assemble, je polis et je peins des
rebuts, peuplant de cette façon mon univers de
configurations qui m'apaisent. Si la cave n'existait
pas, je me verrais privé de ce qui présentement
constitue mon unique bonheur : bien que vu de
l'extérieur le pavillon où nous logeons donne l'illusion d'être spacieux, il ne l'est pas. Ou du moins
pas pour une famille de cinq personnes.

Ainsi que le montre le plan que je joindrai à
mon envoi, vous verrez qu'on y accède par un
perron — six marches de béton aux arêtes vives,
une plate-forme du même matériau, le tout flanqué
d'une rampe rouillée. La porte d'entrée revêtue,
pour ce qui se voit, d'un placage de bois prétentieux,
ouvre sur le modèle parfait de la construction
moderne, bâtie à la hâte. Tout dans la façade,
puisqu'à l'intérieur combien de malfaçons ! Une
HLM améliorée, rien d'autre ! Illusion de confort.
Illusion seulement. Prenons les chambres : deux
cubes quasiment identiques situés dans le fond d'un

couloir que la pression de l'ombre régnante fait
paraître encore plus étroit qu'il ne l'est en réalité.
Je sais bien qu'en dehors d'y dormir, on n'y fait
pas grand-chose, mais tout de même. Encore parqué.
Parqué jusque dans le sommeil. Une chance que la
cuisine soit grande, assez grande en tout cas, pour
qu'une famille entière puisse y prendre ses repas.
Ce que je ne me souviens pas que nous ayons
jamais fait. Faute de dépense et de buffet, la table
se trouve en permanence si encombrée qu'à la seule
perspective de la débarrasser nous avons toujours,
les uns comme les autres, choisi de capituler,
préférant nous replier paresseusement dans le salon-
salle à manger : pièce d'un seul tenant que des
constructeurs roublards ont spécieusement séparée
par une large embrasure, qu'aussitôt à sa vue éblouie
ma mère a pourvue d'un rideau de perles — lequel
à tout instant ravit ma petite sœur et me donne sur
les nerfs. Non pour ce que je le trouve inesthétique :
il y a beau temps que je me suis accoutumé à sa
laideur. C'est à son bruit que je ne me fais pas. Il
me rappelle, et sans que ma mémoire puisse me
venir en aide, un hostile cliquètement de chaîne.
Mais peut-être, et sans qu'il soit nécessaire d'aller
chercher plus loin, cette réminiscence n'est-elle en
fait que l'épanchement d'une âme errante, qui de
tout temps fut en prison. De là son aversion au son
des perles qui s'entrechoquent, dans le seul but

d'éveiller les gardiens auxquels un souffle révélera la présence du captif haletant.

Heureusement, dès le retour des hirondelles, ma mère, qu'on dirait tout à coup assoiffée de lumière et d'espace, relève le rideau de perles jusque dans ses embrasses, en torsades enrichies par les soins de ma sœur cadette de verroteries multicolores, où il reste retenu, immobile et comme en faction dans l'attente des premiers rougeoiements de la vigne vierge qui s'accroche tant bien que mal en de chétifs entrelacs au crépi de la façade, laissant ainsi accroire aux premiers jours d'automne que des saignées ont été pratiquées dans le mur. Enfin débarrassés du rideau garde-chiourme, nous pouvons passer librement de la salle à manger au salon et inversement, moi du moins, car il est peu probable que les autres membres de la famille nourrissent à l'égard de cette simple chose des sentiments semblables aux miens.

Voilà où je vis, monsieur. Où je vivais plutôt, puisque je ne monte plus guère là-haut et qu'au demeurant on ne m'invite pas à le faire. Ce qui, loin de me contrarier, m'arrange, d'autant plus qu'en ce moment je suis fort occupé. D'une part, je vous écris, et d'autre part, j'ai entrepris de confectionner des masques qui serviront à un hold-up.

Hold-up me paraît être un bien grand mot pour une si petite entreprise, étant donné qu'il s'agit de dévaliser le coffre de la supérette où travaille Boule d'Or. Mais puisqu'il plaît de l'employer à celui qui en est le protagoniste...

Nous avons déjà tout un plan. Mais laissez-moi vous conter comment cette idée est née.

C'était à l'aube d'une nuit de débrouille où, la nécessité nous ayant obligés à franchir les limites de notre territoire, nous étions allés, Blanchette et moi, faire un tour du côté de Denfert. Là-bas, aux confins du boulevard Arago, dans l'âcre odeur d'un urinoir, rôdent des initiés avides de frissons : terrain de chasse favorable s'il en est aux loups que nous étions, affamés ce soir-là. Blanchette y avait souvent sévi et pas toujours élégamment ; nous n'étions pas là pour faire des ronds de jambe, mais pour prendre, quelle que soit la manière ! Pour mes débuts, il espérait une bonne affaire, une rentrée qui nous cale quelques jours... L'opportunité de remédier provisoirement à nos maux se présenta alentour de onze heures sous l'apparence d'un éphèbe aux formes graciles, dont la démarche flottante trahissait je ne sais quelle carence et qui de surcroît avait l'air d'avoir perdu son adresse.

« A toi l'honneur », m'a dit Blanchette.

Et dans un langage seul compréhensible de nous, il m'indiqua qu'en empruntant la rue Froidevaux, on aurait vite atteint la rue Emile-Richard, seule bordée par les hauts murs du cimetière du Montparnasse. Lieu idéal pour dépouiller le Jésus ! J'étais pas chaud. Le gars manquait de muscles. D'une clef je l'aurais mis au tapis. Aussi ai-je proposé à Blanchette de jeter notre dévolu sur une proie plus consistante. Il a regardé à droite et à gauche de l'avenue : pas l'ombre d'un quidam en vue.

« Oublie, j'ai dit, on repassera demain. »

Mais mon compagnon d'infortune, s'appuyant sur notre misère commune, qui, soulignait-il, ne pouvait plus durer — ce en quoi il avait parfaitement raison — m'a répondu par ce proverbe bien connu :

« Le mieux est l'ennemi du bien. »

Ça relevait de la sagesse, aussi ai-je pris en direction de la rue Froidevaux. Aussitôt le gars m'a emboîté le pas... Bientôt il était à ma hauteur. Comme c'était ma première approche d'un schbeb, je ne savais pas quoi dire. Je me taisais donc, m'efforçant tant bien que mal, suivant les recommandations dont Blanchette m'avait bombardé dans le RER, d'avoir l'air dur-dur mais pas méchant. Le gars avait réglé son pas sur le mien et cette intimité me gênait, d'autant plus qu'il marchait avec, levés sur moi, des yeux de lapereau fiévreux. Blanchette nous suivait à distance respectable, shootant dans tout ce que la pointe de son soulier droit rencontrait d'obstacles. Et il sifflait : Jef, l'animal !

« Pourquoi il nous suit ? » m'a demandé le gars. J'ai répondu :

« On marche comme les cognes, en paire.

— Et vous ne vous séparez jamais ?

— Si, quand on va chier. Pour l'odeur.

— Il me fait peur, a murmuré le lapereau.

— Normal, j'ai dit, les nègres ont toujours fait peur aux Blancs, à cause de leurs grandes dents... »

Le gars s'est blotti contre moi. Alors, suivant toujours les recommandations de Blanchette, j'ai entouré ses frêles épaules de mon bras d'homme. Nos pas résonnaient dans la nuit soudainement silencieuse. C'était la proximité du cimetière bien sûr, le calme qui en émanait, pourtant j'étais troublé. J'étais troublé, comme à chaque fois que je me trouve en présence du silence à Paris. Comment, d'un seul coup, une telle ville pouvait-elle se taire ? Par quel accord mystérieux les milliers d'êtres qui la peuplaient décidaient-ils de tout mettre en veilleuse ? De quoi ceignaient-ils la folie qui les habitait tous ? De rien, bien sûr : épuisés, ils abdiquaient, se rendaient au sommeil. Et ceux qui continuaient à hurler leur peine, à tenter, puisqu'ils n'avaient plus rien à perdre, de percer une brèche dans les ténèbres, n'étaient plus alors qu'une minorité, facile à réduire au silence.

J'ai serré le lapereau contre moi. Et puis, saisi d'un doute, je me suis brusquement retourné. Blanchette était là, à quelques mètres de nous. Les talons de ses chaussures dépassaient des poches de son blouson. J'attendais son signal. Pas loin dans le mur devait se trouver une porte en renfoncement, que si besoin était il saurait ouvrir. Ma tâche à moi étant en premier lieu d'y plaquer le gars. Ce qui me paraissait être un jeu d'enfant, surtout que celui-ci, allez savoir pourquoi, s'était mis à trembler de tous ses membres. Il s'agrippait à moi. Fallait pas que je le repousse...

« Je suis en route, balbutiait-il, en route.

— C'est pas grave, j'ai dit, marche.

— Mais tu me finis, dis ?

— Ben, voyons ! »

J'ai broyé de ma main libre la sienne, qu'il tenait convulsivement serrée sur sa pochette.

« Résiste pas, j'ai dit, laisse-moi prendre. »

Habitué, sans doute, il n'a opposé aucune résistance, mais avant de quitter mon sein il m'a dit :

« Les papiers d'identité, la carte de sang, les lunettes, surtout, c'est tellement embêtant à faire refaire... Si tu pouvais me mettre ça à la poste... »

J'ai promis.

Inventaire de la pochette dans l'ordre où les objets qu'elle contenait furent expédiés par-dessus le mur du cimetière du Montparnasse, pour atterrir peut-être bien sur la tombe d'un personnage illustre : un paquet de mouchoirs en papier entamé, une paire de lunettes, un porte-cartes d'où il fut préalablement extrait deux billets de cinquante francs et un billet de vingt francs, un agenda, un stylo-mine, un porte-clefs à l'effigie de saint Christophe et, pour finir, une mèche de cheveux blonds, enveloppée dans du papier de soie. Blanchette a cru que c'était de la daube. C'est pour ça qu'il l'avait ouvert. Dépité que ce n'en soit pas, après avoir raflé la mitraille, d'un shoot magistral il avait envoyé la pochette rejoindre les disparus.

« L'empaffé, grognait-il, même pas une clope. »

Pour l'apaiser, je lui ai offert la dernière qu'il me restait, celle que j'avais gardée pour après la bagarre. En tirant, on s'est dirigés vers la tour. Devant le Parc Hotel, deux Japonais, fraîchement débarqués dans la capitale, mitraillaient l'édifice à grand renfort de flashes.

Blanchette m'a dit :

« Tu vois ce que je vois ?

— Si, si », j'ai répondu.

On s'est frotté les coudes et puis résolument, du même pas ferme, on est allés proposer aux touristes esseulés nos talents de photographes amateurs. C'est fou ce qu'ils étaient joisses. Sans doute avaient-ils entendu dire que les Parisiens étaient revêches ? Deux photos d'eux les bras le long du corps, une photo avec Blanchette entre eux, les tenant par les épaules, une autre d'eux et de moi désignant la tour du doigt. Pour la dernière que Blanchette a tirée, je leur ai demandé, dans mon meilleur anglais mâtiné de mimiques — ce qui réjouissait fort mon compère — de tourner le dos à l'objectif, d'incliner légèrement la tête en arrière, de se mettre une main en visière sur les yeux, et de fixer le sommet de l'édifice. Ils ont obtempéré de bonne grâce. Alors, comme on n'est pas du genre qui s'enracine, on les a plantés là, le nez en l'air.

Equipé d'un appareil photographique, on est tout de suite plus sûr de soi. La machine, dirait-on, cautionne auprès des autres celui qui la porte. J'observais en effet qu'à l'encontre de l'habitude nombre des gens qui nous croisaient posaient sur mon compagnon un regard bienveillant. Certains même exprimaient une franche gaieté à son apparition. Il faut dire que ce soir-là sur le boulevard du Montparnasse, un pouce glissé sous la courroie de l'appareil photo qu'il portait en saillie sur son torse bombé, Blanchette marchait la tête plus haute qu'il ne l'avait jamais fait et que le sourire qu'il arborait était éblouissant. Environ toutes les trente secondes, il appuyait sur le déclencheur, et avec la lumière jaillissait son rire. Je me retournais de temps en temps. La rue de l'Arrivée n'était pas si loin. On est remontés comme ça jusqu'à Vavin, là où dans les vitrines des brasseries les gens ont toujours l'air de s'entretenir de sujets exaltants et d'être heureux entre eux. Blanchette a voulu entrer dans l'une d'elles, parce qu'il avait aperçu le fond de la culotte d'une femme au moment où celle-ci croisait les jambes.

« Noir, disait-il, signe qu'on s'entendrait bien. »

Je lui avais alors fait remarquer que l'objet de son amour naissant montrait sans distinction le fond de son slip à chaque passant et que ça allait lui coûter grisol, s'il voulait le voir de près. Vexé, Blanchette a rétorqué qu'il n'avait pas l'âme d'un miché. Comme moi je ne l'avais pas non plus, on a traversé. Une autre brasserie, pleine de monde, de clinquant et d'accords de piano...

« On ose, a dit Blanchette.

— Si, si, j'ai répondu, si on n'ose pas maintenant qu'on est beau, quand est-ce qu'on osera ? »

Toutefois, pour m'en assurer, j'ai glissé les doigts sur la brosse impeccable qu'entretenait jalousement ma sœur cadette à la veille de passer son certificat d'aptitude professionnelle de coiffeuse. De son côté, Blanchette a réajusté la courroie de l'appareil photo autour de son cou et puis, comme un seul homme, on a poussé la porte à double battant de verre ouvrant sur la terrasse couverte. A notre entrée, soulevant sa canne, un birbe s'est écrié :

« Le drame, jeunes gens : c'est la perte des traditions !

— T'as raison l'ancêtre, lui a dit Blanchette, en éloignant l'objet qui nous faisait entrave, j'en parlerai à mon cheval. »

Je ne me sentais pas bienvenu dans ce lieu. Blanchette non plus, c'est sûr, puisque, après avoir avalé deux demis au comptoir et payé quatre paquets de brunes au prix fort, on a levé l'ancre sans se concerter, accompagnés par les accords de *Rhapsody in Blue* que le pianiste avait entonné d'une voix lasse, soit parce qu'il était l'heure, soit parce qu'il était convenant de couvrir celle du prophète, qui nous menaçait à présent de l'anéantissement de la planète avant que nous n'ayons atteint l'âge de la retraite.

Les queues s'étaient dissoutes devant les cinémas. Ce tronçon animé du boulevard se rangeait à son tour. On n'y croisait plus que de rares couples, lesquels, le vin aidant, s'expliquaient inlassablement ; quelques amoureux enlacés loin du monde ; des solitaires, hommes pour la plupart, en quête d'étreintes éphémères ; des cloches, puis quelques loups comme nous affamés d'une pitance qu'on n'aurait su nommer. En marchant, on fumait à s'en faire éclater la plèvre. Sur la poitrine de Blanchette, l'appareil photo ballottait, oublié. On ne parlait pas. Nous étions, pour ainsi dire, à l'écoute de la nuit, laquelle allait peut-être enfin nous livrer son secret. Nous rassurer, nous dire qu'elle ne durerait pas toujours, et qu'avant qu'on soit vieux se lèverait un jour radieux...

« Comment tu me vois ? m'a tout à coup demandé Blanchette.

— Bien, lui ai-je répondu.

— Sans charre, comment tu me vois, Sylvain ? »

En vérité, je ne m'étais jamais posé la question : Comment vois-je Blanchette ? Je le voyais comme un copain auquel les années d'école et la dèche m'avaient uni.

« Comme un frangin », lui répondis-je.

Satisfait, Blanchette poursuivit :

« On raconte une histoire chez moi, l'histoire des hyènes. Lorsque, dans la bataille, l'une d'elles se sent faiblir, d'un brusque retournement elle dévoile son point vulnérable, sa jugulaire, et l'autre paralysée s'immobilise. Devant la vision de cette mort possible, elle ne peut que gronder, toutes canines dehors. On appelle ça instinct de conservation de l'espèce. Ainsi font aussi le pigeon et le dindon. Mais il existe d'autres espèces qui, elles, se battent à mort, tels le coq et le paon. J'appartiens à la leur : tu me suis, Sylvain ? Conviens qu'on ne peut pas passer notre vie à faire les vagues des tantes, ni à dépouiller les touristes ! »

J'étais d'accord, mais de solution je n'avais pas. Pire, j'étais incapable de trouver les mots qui apaisent. J'avais la tête vide. On a épuisé notre premier paquet de cigarettes en marchant. Puis, à bout de souffle, dans une rue déserte on a emprunté à un citoyen qui dormait sa voiture et calés dans des sièges baquets on a tranquillement regagné nos quartiers. Blanchette n'avait pas sommeil. Moi pas tellement non plus, alors on a sifflé Poil Dur. Poil Dur, qui ne dort plus depuis qu'il a eu l'embellie de tomber sur une vidéo. Il se remplit d'images en attendant de retrouver du boulot. Mais comme il dit : « Bosser, c'est comme courir à pied. Ça demande un entraînement constant, que si tu l'interromps t'as beaucoup de mal à reprendre. Puis bosser pour se faire entuber toute sa vie, à quoi bon ? »

Cette nuit-là dans la cave, avec pour seuls témoins mes formes, on a parlé de l'avenir. D'un avenir qui nous garantirait autre chose que des pattes calleuses et des fins de mois qui n'arrivent, dirait-on, que pour qu'on se serre encore la ceinture d'un cran. Faudrait faire un coup, un coup qui, s'il ne nous sortait pas définitivement de la panade, nous permettrait de respirer. Ainsi argumentait Blanchette et nous l'écoutions, Poil Dur et moi, en nous repassant une canette. Pour ma part, je m'étais souvent dit qu'on ne se désembourbe pas, même provisoirement, par un coup, ce coup en entraînant fatalement un autre. Et c'est râpé une fois qu'on a mis le pied sur l'embrayage du pire. De plus, si je regardais l'histoire, elle me donnait raison. Les plus grands coups avaient échoué. Les cerveaux, tous, s'étaient fait crever en finale, qu'on prenne les égouts de Nice ou le train postal ! Les coups ne servaient qu'à remplir les prisons, les colonnes des journaux et faire marcher les tribunaux. J'étais pas pour.

Toutefois, lorsqu'après avoir vidé la canette Poil Dur avait pris la parole pour nous faire part de son projet de vider le coffre de la supérette, j'avoue que ma certitude avait chancelé. L'idée du fric-frac en soi me plaisait. Celle de l'argent frais dans les poches, tout frais, me grisait. L'argent, la puissance immédiate qu'il procure, puisque derrière le billet, la pièce qui brille, il y a la possibilité d'exprimer sa non-adhésion. Sans le sou, par la force des choses, on adhère à tout.

Adhérons à l'idée de nous faire déféquer sur la tête toute notre vie par les nantis. Adhérons le corps souillé. La coloquinte montée comme du blanc d'œuf battu en neige, adhérons à cette dernière idée lancée, qui nous protégera du rhume des foins, des maladies honteuses et cardio-vasculaires, du cancer. Adhérons à la foi chrétienne, panacée à succès aux effets lénitifs. En bref, adhérons à la connerie universelle, comme avant nous nos pères y avaient adhéré. Je ne voulais plus faire partie des membres de cette confrérie qui passe les yeux bandés de l'utérus au tombeau. J'avais envie d'autre chose. Quoi ? je ne savais pas trop... Mais ce qui est sûr, c'est que je ne voulais plus croupir comme un rat dans cette cave.

« Avec cette monnaie, poursuivait Poil Dur, à nous trois on pourrait monter une affaire. Un garage, par exemple. Hein, un garage, c'est pas une bonne idée, ça ? On s'y connaît en mécanique, non ? Et quoi que disent les autres, on n'est pas manchots, vrai ou faux ?

— Vrai ! s'exclamait Blanchette, moi c'est pas le boulot qui me repousse, c'est de gratter pour des nèfles. »

A entendre Poil Dur, on n'aurait qu'à entrer et prendre.

« Et comment on enquille ? a questionné Blanchette.

— La porte de la réserve sera restée ouverte.

— On a donc quelqu'un dans la place ? ai-je dit.

— T'as deviné.

— Et qui ?

— Ma frangine. »

Ainsi j'appris que Boule d'Or avait une barre avec Dupuis, le directeur de la supérette. Que souvent elle restait avec lui, après la fermeture, histoire de préparer le terrain. Jamais encore elle ne s'était laissé embrasser, juste peloter un peu. Et, selon elle, Dupuis était mûr. Il n'était pas un soir qu'il ne quittât le magasin avec la trique. Voilà, c'était simple. Le soir du 24 décembre, jour où les caisses seraient pleines, après l'avoir aidé à mettre le pognon à l'abri, opération à laquelle elle avait déjà participé, elle ferait mine de céder. Elle entraînerait le guignol jusqu'au petit réduit qui sert d'infirmerie et se trouve situé au fond de la réserve. Là, chatte, elle s'étendrait sur le petit lit, et ce serait à nous de jouer. On ferait irruption dans la place avec des bas sur la figure et l'arme au poing, armes que Boule d'Or aurait engourdies au rayon des jouets, et sous la menace de celles-ci, on obligerait Dupuis à nous ouvrir le coffre.

« Et s'il refusait ? ai-je dit.

— On l'oblige, t'as pas compris ?

— Et s'il était chargé ?

— Boule d'Or lui a tâté les fouilles, elles sont vides. Qu'est-ce que tu veux de mieux, c'est pas du boulot de servi ? »

Non, pas pour moi. L'idée des armes et des bas me déplaisait. Je ne parle pas du fait que Boule d'Or ait à servir d'appât, qui me dégoûtait au plus haut point. A la fois, le poison de la jalousie faisant son chemin dans ma tête, j'avais envie de voir devant moi l'homme qui la convoitait réduit à rien. Le pantalon tombé sur les chaussures, tremblant de peur.

« Alors, t'en es, Sylvain ? m'a demandé Poil Dur.

— J'aime pas l'idée des armes, ai-je dit.

— Et avec quoi tu veux le braquer, avec ta pine ? a dit Blanchette. Faut quand même qu'on ait l'air crédibles.

— Avec ça, lui ai-je répondu en désignant du doigt l'appareil photographique qu'il portait autour

du cou. Le mec est marié, n'est-ce pas ? Père de
famille ? De plus c'est connu, il va à l'église le
dimanche. On conserve le même scénario, à ceci
près qu'au lieu de bas sur la figure, on portera des
masques. C'est plus gracieux, et puis ça m'occupera
de les faire. Et plutôt que de le braquer, on le
mitraillera en flagrant délit d'adultère. Cette action
porte un nom : chantage. Ça devrait faire très peur
à un homme comme Dupuis, soucieux de sa
renommée. Les clefs du coffre contre la pellicule,
tout en douceur.

— Cette idée est digne d'une tête ! s'est exclamé
Blanchette. Digne d'une tête !

— Minute, j'ai pas fini. On n'enquille plus à
trois. Y en a qu'un qui entre, le photographe de
service. On lui laisse le temps de faire son boulot,
ce qui grosso modo ne devrait pas prendre plus de
trois minutes. Mais faut tenir compte des avaros.
Discrètement, on sent le vent par la porte entrouverte. Tant que rien ne bouge, on reste calme. On
attend le sifflotement, et là seulement on fonce.
Mais mollo. Faut penser à Boule d'Or. La galère,
elle est dedans aussi, et pas qu'un peu si vous
m'excusez. Qu'est-ce qu'elle fait quand on se
pointe ? Morte de peur, elle s'accroche à Dupuis,
quoi de plus naturel ? On les sépare sans prendre
de gants. Elle crie, s'en prend une. Celui qui lui a
filée l'empoigne et la garde serrée contre lui, une
main autour du cou. Faut qu'on ait l'air crédibles,

comme Blanchette le disait plus tôt. Et elle surtout !
Bon, en supposant que tout marche comme on veut,
que le gonze consente à ouvrir le coffre. Qu'est-ce
qu'on fait d'elle ?

— On la laisse avec lui, a dit Poil Dur, faut
bien. On les garrotte tous les deux. D'abord elle
est d'accord.

— Pas moi. Moi, je suis d'un autre avis. On
est tellement naves, tellement pressés, tellement
occupés à ramasser la monnaie, qu'elle trouve
l'occasion de se tirer. Un de nous la poursuit. Y
revient bredouille : « La fille de pute, elle a réussi
à se faire la malle ! Peut-être qu'elle se planque
dans le magase qu'elle connaît bien ? » On va
chercher, on va la trouver et lui faire sa fête. Mais
avant on ligote Dupuis à une colonne montante.
On cherche, on bouscule tout, de sorte que le gonze
nous entende. En finale, on latchave, vu ?

— C'est tout vu », a dit Blanchette.

Puis il a ajouté, en m'appliquant une tape sur
la tête :

« Je suis sûr qu'y a pas d'oreiller à tes mesures.

— Comme ça on peut compter sur toi ? » m'a
demandé Poil Dur, renfrogné.

J'ai répondu qu'en principe « oui », et là-dessus
on s'est séparés avec la montée du petit jour.

Est-il besoin de vous dire, monsieur, combien

je me méprise depuis ? L'idée du chantage en soi est odieuse et de plus le crime à mes yeux n'est pas de faire main basse sur la recette de la supérette, mais bien de devoir pour ce faire donner Boule d'Or en pâture à Dupuis. Supposons que ce soir-là, dans l'expectative d'enfin la posséder, il perde la tête ? Elle sera seule avec lui, seule et apparemment consentante. La force physique d'un homme prévaut toujours sur celle d'une femme, si résolue soit-elle.

Alors il la viole et la voilà souillée, meurtrie à tout jamais, et pourquoi ? Pour quelques fafiots !

Je ne peux pas participer à une action dont la seule perspective me rend indigne à mon propre regard. Je vais dès ce tantôt reprendre ma parole, que je n'ai d'ailleurs qu'à demi donnée. Qu'ils me prennent pour un pleutre si bon leur semble, un de ceux que l'amour a transi en lui décochant son premier trait. Ils ne se tromperont pas, puisque la passion que j'éprouve pour Boule d'Or engourdit chez moi tout jugement. Qu'elle émette un point de vue, aussitôt je m'y range ; qu'elle développe celui-ci, je la suis. J'approuve, j'acquiesce, je consens, d'où que souffle le vent. Je suis pour employer un vocable plus châtié que celui qu'emploient mes amis pour me désigner : un niais ! Mais cette caractéristique incombe-t-elle à l'amour, ou m'est-elle propre ? J'ai tendance à opter pour la dernière éventualité. Tenez, afin d'illustrer ma pensée.

Ce samedi du mois d'août dernier, sombre parmi d'autres, puisque depuis je n'ai pas revu Boule d'Or, celle-ci était venue me chercher sur un chantier, où j'avais fait une bricole au noir. Elle portait une robe qu'encore je ne lui avais jamais vue — en popeline rouge carmin, à jupe bouffante, d'où il dépassait à dessein un volant de dentelle blanche. Ses pieds étaient chaussés d'escarpins en matière brillante, dont les talons hauts et fins réfléchissaient, à chacun de ses pas, les derniers rayons de soleil. A son apparition, les ouvriers sifflèrent d'admiration... Je l'avais entraînée comme j'étais, en bleu et tout couvert de plâtre. En chemin elle avait refusé que je lui prenne la main, prétextant que la robe qui la vêtait était empruntée et qu'elle devait dès le lendemain la rendre impeccable.

Blessé, parce que tout de même on a sa fierté, je lui avais alors demandé si les chaussures l'étaient aussi. Et si, dans l'affirmative, elle ne devait pas dès lors marcher sur les mains. A quoi elle avait répondu :

« Si j'attends après toi pour m'en payer de pareilles, autant que je me résigne tout de suite à aller nu-pieds... »

Ça suffisait, n'importe quel type sensé se serait retiré, mais moi j'étais resté. Et après m'être fait propre, je l'avais invitée à aller au ciné. Dans notre salle préférée, on donnait un film d'amour. Quand nous y étions entrés, la séance venait de commencer.

Dans l'ombre, la placeuse nous avait balayé le visage avec le faisceau de sa lampe électrique, puis, nous reconnaissant, elle avait éclairé nos pas jusqu'à notre loge, qu'elle nous gardait sans que nous ne lui ayons jamais demandé de le faire, pas qu'elle espérât tirer profit de son amabilité à notre endroit — les pourboires que je lui laissais excédant en effet rarement deux francs. Mais c'est plutôt qu'elle nous avait pris en sympathie. En se retirant, elle avait murmuré :

« C'est pas dans vos habitudes d'être en retard, les enfants, mais je savais que vous viendriez. »

Ce qu'elle ignorait, c'est que nous ne viendrions pas le samedi suivant, pas moi du moins. Boule d'Or le ferait peut-être accompagnée d'un inconnu. S'en apercevant, la placeuse ne piperait pas. Elle éclairerait leurs pas, c'est son métier. Boule d'Or s'assiérait dans le fauteuil de gauche, pour être sûre d'être bien caressée, comme si tous les types étaient droitiers. Moi je suis ambidextre, ce qu'elle n'a jamais semblé remarquer. Ni que je lui voulais sincèrement du bien, monsieur, sincèrement, ce qui n'est pas toujours facile à montrer, mais j'essayais. Comme toujours, je faisais de mon mieux. Au début des actualités, quand elle bougeait, on entendait des petits craquements dans la loge. C'était son jupon qu'elle empesait avec du sucre. Malgré mon désir, je ne la pressais pas. Je m'astreignais, en attendant qu'elle prît ma main pour la guider vers sa moiteur, à couvrir son cou de baisers. Elle avait la peau sucrée partout le corps, du lobe des oreilles jusqu'à la pointe des pieds. Dans l'ombre, je léchais mes doigts. Je ne me suis jamais autant senti exister que dans les salles obscures. Séance après séance, il me semblait que je prenais auprès de Boule d'Or des forces pour la vie.

On s'est séparés devant le cinéma. Il y a quatre-vingt-treize jours de ça.

Mais ce n'est pas sa première escapade, allez ! Elle reviendra. Elle est toujours revenue. Elle revient quand elle est perdue chercher asile dans mes bras et je les referme sur elle, parce que je l'aime. Au point, je l'avoue, qu'à la pensée de la perdre définitivement, je préférerais la voir morte. Mais il me faut, monsieur, m'interrompre pour l'heure et cacher mes écrits. J'attends en effet la visite de Poil Dur et Blanchette, auxquels je dois sans plus tarder donner une réponse définitive. Ils s'impatientent : cela se comprend, voilà déjà trois semaines que j'atermoie. Toutefois, ils m'ont prévenu que si je ne me décidais pas aujourd'hui, le coup se ferait sans moi. Mais j'entends des pas, ils arrivent.

Ah ! Pour une surprise, c'en fut une. Et, par ma foi, je n'en suis pas encore revenu ! Jugez plutôt des derniers événements.

« Salut le Rat, a dit Poil Dur en pénétrant dans la cave.

— Salut », a dit Blanchette.

Boule d'Or m'a embrassé. Il y avait longtemps que je ne l'avais pas vue de près. Je l'ai trouvée trop maquillée. Quand nous sortions ensemble, elle ne se fardait que les yeux et ça lui allait mieux. Elle était belle tout de même, belle que ça m'en faisait mal de la regarder. Et à la pensée qu'elle allait devoir se faire tripoter par Dupuis, j'avais la nausée.

« Alors, m'a demandé Poil Dur, sans ambages, t'as réfléchi ? »

J'ai répondu : « Oui, et j'en suis pas.

— Je m'en serais gourée », a dit Boule d'Or.

Sa réplique m'a blessé. Elle pensait que j'étais lâche, partant me toisait avec mépris en tirant exagérément sur son fume-cigarette. Ça aussi, c'était nouveau : hier elle fumait comme tout le monde, sans façons. Blanchette tournait en rond, les mains enfoncées dans les poches de son blouson. Sa déception était visible. En chef, Poil Dur ne laissait rien paraître de ses sentiments. Il a simplement dit :

« Bon, ben si c'est comme ça, on se décroche. Salut, le Rat.

— Salut, a dit Blanchette.

— Dommage, a dit Boule d'Or, après qu'ils se furent éloignés, on aurait pu se payer une petite vacance...

— On ? Qui ? lui ai-je demandé.

— Toi et moi, la bonne blague », m'a-t-elle renvoyé.

Alors, oubliant toute prudence, je me suis approché d'elle et je l'ai serrée dans mes bras. Aussitôt, le chagrin que je portais en moi depuis des mois s'est dissipé, pour faire place au bonheur de l'amour retrouvé. En cet instant, elle m'aurait demandé d'aller lui décrocher la lune que j'y aurais volé.

« J'ai toujours rêvé d'aller aux îles Canaries », me murmurait-elle à l'oreille, tandis que moi, éperdu, je cherchais ses lèvres. Elle me les a données. Son haleine exhalait le tabac et la framboise.

« Alors, t'en es ? m'a-t-elle demandé quand nous eûmes repris souffle.

— J'en suis », l'ai-je assurée.

Et nous avons recommencé à nous embrasser. Au terme d'un instant lumineux, comme nous tremblions tous les deux, on s'est glissés entre les draps, tout habillés, et ainsi enlacés nous avons bientôt étouffé. Boule d'Or s'est déshabillée en premier. Quand elle a été nue, j'ai entrepris à mon tour de le faire, inquiet, car je craignais qu'elle s'aperçût que je n'étais pas propre. Depuis son abandon, afin de conserver l'empreinte de son corps, je ne me lavais plus, excepté le visage, les dents et les mains.

« Tu sens le gibier », m'avait dit la veille ma

cadette, venue se faire la main sur ma tête. Elle avait ajouté en se pinçant le nez : « Pas étonnant que tu ne lèves rien. »

Mon odeur semblait plaire à Boule d'Or, qui la traquait sur tout mon corps avec son petit nez frais. Elle lapait mes aisselles, me lapait avec une concentration extraordinaire, comme si elle eût voulu qu'aucun pore de ma peau ne lui échappât. Je fermai les yeux et j'eus l'impression que dehors il faisait soleil. Une nouvelle citadelle s'édifiait sur mon cœur en tumulte. Je nous y enfermai, laissant hors de ses murs tâtonnements et colère.

Elle ne m'avait jamais quitté. Je retrouvais le poids de son corps sur le mien, intacte parcelle de vie et de chaleur, laquelle m'était aussi nécessaire que l'air. La sueur qui baignait son visage la démaquillait peu à peu. Débarrassée de ses artifices, elle me réapparaissait telle que je l'aimais : lisse, enfantine, la mienne. Et des mots d'amour me montaient aux lèvres. Elle les écrasait sous les siennes, ou les lissait avec la pointe de sa langue, tandis que la courbe harmonieuse de ses épaules semblait fendre le flot. Elle s'ébattait éblouie, lançant au ciel des orémus, puis son regard s'assombrissait. Elle s'accrochait alors aux draps, à moi, comme si quelques vagues déferlantes avaient menacé de l'emporter. Le danger écarté, elle se dressait et, s'arc-boutant des poings à ma poitrine, reprenait souffle et force afin, dès le prochain assaut, de mieux défier les éléments. Mes mains avaient reconquis leur place sur ses hanches rondes et mes doigts s'enfonçaient dans la chair retrouvée. Soleil multiplié au centre du muscle essentiel, nous voguions aveuglés vers le cœur de l'été. Nous naviguâmes ainsi longtemps à la limite du plaisir, puis celui-ci nous submergea au détour d'un geste, et dans un éclair je crus voir les grands yeux sombres de Boule d'Or dévaler la pente de son corps renversé pour s'échouer dans les miens grands ouverts.

Nous nous endormîmes et c'est encore sous l'empire du rêve qui succéda à ce sommeil que je vous écris.

J'habitais « *Sea Lawn Suite* ». Ces mots me sont apparus en lettres d'or, apparemment à l'instant où je fermais les yeux et, bien que ma connaissance de la langue anglaise soit limitée, je pus cependant en faire une traduction spontanée : « La Suite du Gazon de Mer ».

Assemblage de mots hétéroclites, sans aucun lien entre eux, me semblait-il, mais dont la musique, lorsque je me les répétais, avait sur moi l'effet d'un charme. Etendu sur un vaste lit dans une chambre au plafond haut que ouatait une pénombre recueillie, je suivais les rotations des hélices du gigantesque ventilateur suspendu au-dessus de moi, qui brassait l'air brûlant et faisait bouffer aux fenêtres de lactescents nuages de soie — lesquels me découvraient par intermittence un ciel de maillechort traversé par des nuées d'oiseaux noirs tenant dans leurs robustes becs de petits poissons argentés. Sous mes doigts battait le cœur de Boule d'Or endormie.

Le coup avait réussi. Nous avions réussi. Et nous étions, je le devinais au tohu-bohu déchiré par la stridence des avertisseurs d'automobile, à quoi venait s'adjoindre la puissante respiration de l'océan tout proche, loin de notre pays. Je me levai cependant afin de m'en assurer. Boule d'Or gémit dans son sommeil et sa main, après avoir tâtonné un bref instant sur sa gorge de reine, prit la place de la mienne à l'endroit de son cœur. Elle reposait de nouveau tranquille. Alors à pas feutrés je m'approchai d'une des fenêtres et drapé, enturbanné de soie, tel un radjah né à l'instant de la fluidité océanique je contemplai, à la fois ébloui et inquiet, le royaume qui venait de m'échoir. C'était une vaste esplanade, couverte par un gazon de mer blêmissant à l'approche de la nuit, dont la planéité qui s'étendait à l'infini avait l'air de se convulser par endroits en des éminences rougeâtres, lesquelles visaient, eût-on dit, à rejoindre la sphère armillaire où, mus par la mousson s'entrelaçaient alors de larges anneaux purpurins, bleu sombre et aurifères. Ces langues de terre frémissantes qui se dressaient décharnées, pour ce que sans cesse les oiseaux aux robustes becs plongeaient en elles afin d'y puiser leur pitance, dansaient au vent du soir à l'instar de grands cerfs-volants, ou de fulgores porte-lanternes. Quand soudain, et comme sournoisement acheminées par la brise de mer, je vis venir à elles d'autres langues, écumeuses celles-ci, et chargées de minuscules poissons semblables à des glaires, qu'en un hoquet elles déversèrent dans les plaies cruentées...

Un sursaut succéda à cet accouplement, et le dôme du soleil couchant me fut ravi en un instant. Bientôt, ce fut au tour de la terre d'illuminer le ciel, par l'entremise de l'arbre au temple dont les vespérales fleurs blanches s'épanouirent largement. Simultanément, mon désir toucha à son sommet et dès lors incapable de me contenir davantage, je souillai la soie vierge qui enveloppait mon corps, puis je m'enfonçai dans l'opaque. Alors vous m'apparûtes, flanqué de prêtres aux crânes rasés dont les robes flamboyantes rappelaient la couleur du soleil fraîchement englouti. Vous faisiez tache parmi eux dans votre sombre habit de clerc, mais contre toute attente vous parliez leur langue et vos propos se recoupaient, convergeaient vers un but commun : une société organisée, d'où sans tarder tout opuscule à caractère le moindrement subversif devrait être converti en boulettes qui serviraient à alimenter les bûchers où l'on brûlait les insurgés. A entendre pareils vocables, mon cœur saignait, car j'avais mis ma foi en vous.

« Traître ! traître ! » m'écriai-je alors, au comble du courroux, comprenant — mais trop tard — ma méprise. En effet, ce n'était pas vous mon élu, mais tout au contraire mon bourreau, chaussé comme jadis de ses souliers anglais, en voyage d'affaires dans le pays où les divinités ailées m'avaient parachuté.

D'abord, comme si le qualificatif de traître ne pouvait en aucun cas lui être adressé, il ignora ma présence, continua de fouler de son pas souverain le sol de mon royaume controuvé, lequel revêtait peu à peu à mes yeux embrumés de larmes l'apparence d'un bois arsin ; jusqu'au moment où, relevant vers les fenêtres de *Sea Lawn Suite* un regard ennuyé, il questionna le grand prêtre qui cheminait à ses côtés.

« Qui est cet histrion ? » lui demanda-t-il.
Une voix descendue des nuées lui répondit :
« Coupable. »

Il éleva le bras, un bras démesuré dont l'ombre s'épandit sur l'esplanade et, désignant du doigt la croisée derrière laquelle je me tenais tremblant, il ordonna :

« Rends-toi, car qui mieux que moi pourrait te réhabiliter aux yeux de la société dont tu as enfreint les lois ? »

Aussitôt subjugué, j'allai vers lui, ainsi que la

sombre limaille à l'aimant, laissant derrière moi Boule d'Or reposer dans le faste d'un rêve.

N'allez pas croire, monsieur, que je sois superstitieux ; il n'en est rien. Toutefois, je ne puis m'empêcher de voir dans le rêve que je viens de vous conter une manière de prémonition. Et, malgré mes efforts à rationaliser, pèse sur ma pensée l'ombre d'un lugubre avertissement. Comme si je me trouvais en attente d'un imparable coup du sort. Cela me gâche jusqu'au bonheur d'avoir retrouvé Boule d'Or. Mes formes elles-mêmes si amicales, si familières d'ordinaire, ont un je ne sais quoi d'hostile, quand j'y pose les yeux. On dirait que, soudainement pourvues d'âme, elles me jugent.

« Ainsi tu nous trahis, Fantin, semblent-elles dire. Ainsi tu nous préfères des plaisirs futiles. Prends garde à toi, car celui qui choisit d'emprunter le chemin des roses s'accrochera à leurs épines. Seul désormais au carrefour des routes qui ne mènent nulle part, sinon à l'égarement, tu souffriras mille tourments, Fantin, mille tourments. Tu nous imploreras, mais nous ne pourrons rien pour toi, plus rien. Chaque seconde fera brèche entre nous. Chaque coucher de soleil sera ta sépulture. Chaque aube te verra te lever, fourbu, du tombeau. Loin de nous commencera pour toi l'errance abominable qui ronge l'homme éparpillé, s'en nourrit, puis le rend à la terre, pourri. Que ne restes-tu pas tranquille avec nous ? Que ne restes-tu à l'abri des murs de la cave ? Qu'espères-tu de là-haut ? Il n'y a pas de paradis ! »

Si elles avaient raison...

En ce premier dimanche de l'Avent, je reviens vers vous après une période d'abattement. En effet, outre que je continue de quémander à la ronde une quelconque manière de subsister honorablement et me trouve réduit à frapper aux portes des vieilles gens du quartier afin de m'enquérir auprès d'eux s'ils n'auraient pas de vieux chiffons dont ils voudraient se débarrasser, ou encore des verres à faire déconsigner, service dont je me chargerais contre quelques francs en retour, voire quelques verres même, mon père qui, semble-t-il, avait mis ses derniers espoirs dans une place de gardiennage au laboratoire pharmaceutique tout proche de chez nous, ce qu'il considérait, s'il l'obtenait, comme un double avantage, attendu qu'il pourrait se rendre à pied à son lieu de travail, se l'est vue dûment refusée par l'intermédiaire d'une lettre où il était dit en termes choisis que le poste présentant des dangers auxquels on n'avait pas songé autrefois, il pouvait n'être assuré que par un homme robuste. Prenant la balle au bond, j'ai aussitôt posé ma candidature. Hélas, entre-temps la place avait été prise.

Depuis ce dernier échec, ma mère ne cesse de se répandre en larmes et comme elle ne veut pas que mon père le voie, elle vient le faire ici. Ce qui m'oblige sans cesse à m'interrompre. Car je ne veux pas qu'elle sache que j'écris, occupation qu'elle ne pourrait s'empêcher, si elle la découvrait, de qualifier d'oisive. Le malheur la transforme et j'assiste, impuissant, à sa métamorphose. Quand elle est là, inerte, les épaules courbées, assise parmi mes formes sur un bidon renversé, je songe avec mélancolie aux jours heureux qui ont succédé à notre installation ici. Quel enthousiasme fut le sien, devant notre bout de jardin ! Comme beaucoup, sinon la plupart des gens simples, mes parents rêvaient depuis toujours d'avoir un jardin. Pourvoir soi-même aux soins d'un potager, faire pousser sa salade, ses pommes de terre, son cerfeuil et son thym, bêcher, sarcler, ratisser : autant de petits gestes qui vous mettent le cœur en joie.

Pour ma mère, ce fut une ivresse quotidienne que de pouvoir s'agenouiller dans la terre en friche et c'est transfigurée qu'elle nous revenait du jardin avec, piqués dans sa chevelure couleur d'ambre, des brins d'herbe séchés auxquels s'accrochaient des fanes d'un vert très tendre. Je voyais le geste de sa main qu'en travaillant elle avait passée dans ses cheveux. Ses yeux agrandis de cernes bleutés, car elle s'activait sans relâche, avaient une expression alanguie et heureuse, pareille à celle d'une amoureuse encore sous le charme des caresses reçues. Elle fredonnait sans cesse, des chansons d'amour justement, gorgée d'une gaieté dont elle ne se départait qu'au moment de se mettre à table — ce qu'elle faisait sans s'être lavé les mains, comme si par là elle eût voulu perpétuer le bonheur éprouvé plus tôt. Loin de ce bruit qui, disait-elle, profitant d'un instant d'inattention de sa part, lui avait un jour empoigné le système nerveux pour ne plus le lâcher, elle revivait et nous tous avec elle.

Aujourd'hui, c'est tout le contraire. Elle s'étiole. Et sa chute m'accable davantage encore que celle de mon père. Plus jamais un regard tendre. Plus jamais une parole d'espoir ne sort de ses lèvres. Si elle me parle, c'est de maladies, d'hôpitaux où il semble dans l'ordre des choses de devoir traîner.

« Si encore il n'y avait pas la souffrance, soupire-t-elle, mais c'est justement cette chienne qui nous tire vers les mouroirs. »

Même sa mère, une dure pourtant, avait fini par y échouer. Pour y mourir entre deux planches. Les chariots ne s'étaient pas arrêtés de rouler pour autant, ni les râles de monter d'entre les autres planches. Les visites n'avaient pas été interrompues non plus. Le soleil ne s'étant pas couché, tout avait continué à se dérouler, comme si de rien n'était. Et rien n'était plus en vérité. Cependant, elle n'avait pas osé crier : Silence ! Au plus fort de sa douleur, elle s'était tue, parce que sa voix avait été étouffée dès l'origine, par celle justement qu'elle pleurait. Mais de cela elle ne veut pas entendre parler. Elevée dans l'ignorance la plus brute, elle persiste à chérir le souvenir de sa mère, cherchant, dirait-on, par-delà même la mort, son agrément. Sa seule révolte envers sa marâtre est de ne pas finir comme elle, entre deux planches. Pauvre femme dont la détresse me submerge, mais où je ne puis néanmoins la rejoindre. Le dialogue est faussé désormais entre nous. Elle si conciliante avec moi autrefois, jamais vulgaire, ne m'a-t-elle pas dit avant-hier, me surpre-nant à vider la boîte aux lettres :

« Le facteur n'est pas le père Noël. Si tu veux du travail, il faut te remuer le cul ! »

Elle ne savait pas si bien dire, puisque, pour ce qui est de me remuer les fesses, je me les remue. En attendant le grand jour, on continue nos raids Blanchette et moi. Y a pas une vespasienne que je ne connaisse dans Paris, mais comme il faut se renouveler, maintenant on fait aussi la sortie des bars gays. Ça paye, enfin ça a payé une fois, puisque le premier portefeuille qu'on a goupillé contenait quatre cent vingt francs et six tickets de métro de première. Le luxe ! Avec la part qui me revenait, j'ai acheté une écharpe à Boule d'Or : rose bonbon, telle qu'elle la voulait. Puis, comme on avait encore de quoi, on s'est payé un cinéma. Ça faisait longtemps.

Notre placeuse n'était plus là, et bien que tout au long de la séance Boule d'Or se soit montrée câline, je n'ai pas retrouvé à notre loge son charme d'antan. Est-ce à dire que là aussi je dois voir une période à jamais révolue ? C'est bien possible, mais, contrairement à ce que l'on pourrait imaginer, je n'en suis pas attristé outre mesure.

Cela va peut-être vous paraître présomptueux, cependant il m'arrive de penser dans des moments d'éblouissement que je me dirige vers une sorte. d'ascèse, et les exercices que je m'inflige en secret ne le démentent pas. Que je me représente les mets les plus savoureux, ceux-ci ne me disent rien. A l'idée de les boire les vins les plus capiteux m'écœurent et la nourriture en général me laisse sans envie. Pour le reste, que l'on nomme couramment distractions, je n'en ai d'autres que mes formes qui ne me satisfassent vraiment. Quand écrire ne m'accapare pas, je peux rester des heures étendu sur le sol, dans le silence de mes murs, et jouir de sentir peser sur moi le poids d'un monde au mouvement duquel je ne participe pas. Et puis serait-ce qu'à mon insu ma vue s'altère ? J'ai beau me frotter les yeux, les ouvrir, les fermer, les écarquiller, la loge lorsque je l'évoque, ne m'apparaît plus aussi grande qu'hier. Au vrai, elle se réduit pour moi aujourd'hui à un carré malpropre d'où la magie s'estompe à chaque battement de cils. Ce phénomène visuel, que je ne saurais à quoi attribuer, ne se manifeste pas constamment, Dieu merci ; puisqu'il lui arrive de déborder le périmètre de la loge pour toucher, je l'avoue, à tout ce qui m'entoure, et je me sens alors, tant par la vue que par l'esprit, perdu au pays des Lilliputiens, grandi trop vite et encombré d'un corps que le développement du cerveau n'a pas suivi. S'il n'y avait pas Boule d'Or, je pourrais, je le crois, m'en aller vers l'éther ; mais elle est là, comme un boulet, parfois, qui me rattache si fortement aux plaisirs d'ici-bas.

Pourquoi cela ? Pourquoi exerce-t-elle tant d'ascendant sur moi ? Son corps, bien sûr. La volupté que j'en tire. Mais peut-on tirer du plaisir d'un corps, sans être follement épris de l'âme qui l'habite ? Je ne le crois pas, car il ne s'agit plus alors de volupté mais de bestialité. C'est donc de l'âme de Boule d'Or que je suis épris, ce qui m'amène à penser que dans son âme réside son sexe. Ce sexe dont je ne sais rien, et qui est encore plus chargé de mystère que l'obscurité qui m'entoure. Qu'elle paraisse et me voilà tremblant. Tout en elle m'émeut et chacun de ses gestes devient pour moi matière à trouble. La marque que le pli du drap a inscrite sur sa joue durant son sommeil, une boucle de ses cheveux, qu'après l'amour consommé la sueur a collée à sa tempe. Le plaisir qu'elle prend dans cet échange, démesuré — car elle chante, dirait-on ? Ou je rêve quand j'entends monter de sa gorge de reine des hymnes éblouissants ? Son léger blèsement à la prononciation de certaines consonnes, tel le s ; la cicatrice qu'a laissée un clou rouillé dans la partie la plus charnue de son mollet droit ; ses orteils en marteau comme elle les appelle, parce qu'elle ne parvient pas à les étirer ; son goût pour les couleurs criardes et le clinquant ; ses cheveux déjà blonds qu'elle décolore encore ; sa franchise souvent brutale ; son non-respect des traditions ; l'horreur qu'elle a des concessions ; son rejet de la famille, qu'elle regarde comme l'école du vice ; son mépris pour les béni-oui-oui ; la rage que lui insuffle l'injustice sous toutes ses formes, y compris les plus subtiles, car rien ne lui échappe ; la violence enfin qui, lorsqu'elle y donne libre cours, me fait craindre parfois qu'elle n'aille voler en éclats, ou qu'elle ne réduise à néant ceux vers qui se dirigent ses foudres : ce sont toutes ces raisons connues de ma pensée qui font qu'à mes yeux telle qu'elle est je l'aime.

Mais par quel détour, diable ! en suis-je venu à vous parler de mon amour ? Croirais-je en son unicité ? N'en va-t-il pas ainsi pour chaque être amoureux ? Et le suis-je vraiment ? Cette indifférence éprouvée l'autre soir dans la loge, n'est-ce pas les prémices de l'amour finissant ? Voyez, et comparez avec ce que je vous disais plus tôt — que sommes-nous d'autre, au fond, qu'un nœud de contradictions ? A moins que, tout banalement, je ne vous fasse le confident d'un amoureux insatisfait qui cherche, empruntant des détours, à récuser un amour qui le fait souffrir, pour ce qu'il sait que celui-ci ne le comblera jamais tout à fait. J'espère que vous me pardonnerez mes hésitations, dans ce domaine du moins, car j'imagine que dans votre jeune âge vous n'avez pas manqué d'être en proie aux mêmes. Je note, me relisant, que je m'attache à vous ; à moins que ça ne soit à ce que j'écris ? ce qui n'est pas facile à distinguer. Reste que, depuis quelque temps, je n'ai de cesse que de chercher à vous imaginer.

A quoi ressemblez-vous ? Avez-vous seulement un visage ? Ou n'ai-je affaire qu'à une machine ? Quelle perspective effrayante, si tel est le cas ! Car aussitôt, je me vois par celle-ci tourné en dérision. Il faut avoir une âme pour être à même de recevoir les confidences d'autrui. Une âme noble. Et la machine ne possède ni âme ni noblesse. Lorsque des pensées aussi sombres m'assiègent, je me sens prêt à tout détruire. Mais quand, née d'un regain d'optimisme, l'impression première se nuance pour faire place à un vague contentement, je me dis qu'en vous j'ai trouvé le plus sensible et le plus fin des confidents qui soit.

Poings américains, chaînes de vélo, tessons de bouteille, bagues figurant des têtes de mort, insignes SS, gros bras... Qu'est-ce qu'on s'est pris la nuit dernière, Blanchette et moi ! C'est donc la cervelle et le reste en capilotade que, le nez chaussé de lunettes noires, je suis allé voir de près à quoi ressemble l'homme que je vais devoir photographier le pantalon en bas des pieds — puisque c'est moi qui, à la demande de Boule d'Or, me chargerai de la tâche. Dupuis, que je n'avais encore jamais aperçu que derrière la vitrine de la supérette et fragmenté pour ainsi dire, puisque toujours des échafaudages de marchandises diverses ou des gens faisaient entrave à mon regard, n'est pas si rachot que se plaisent à le dire Poil Dur et Blanchette. Sans être le représentant du type athlétique, c'est un homme de stature normale, et plutôt bien de sa personne. Il doit approcher la cinquantaine, mais ses tempes n'en grisonnent pas pour autant et c'est à peine si l'on distingue, dans la masse de ses cheveux noirs qu'il porte coiffés à l'arrière, quelques fils argentés. Son front que, dirait-on, il dégage par coquetterie, est étroit et lisse comme un galet, barré de sourcils b:oussailleux qui chapeautent des yeux sombres et railleurs. Ses lèvres aux commissures remontées expriment la gouaillerie. Son teint est bistre, mais au niveau du cou présente une rubéfaction, sans doute provoquée par le port continuel de chemises à cols durs — encore que les mains soient elles aussi rougeaudes. Trapues, comme la nuque, elles dégagent une impression de robustesse. L'ensemble de sa physionomie générale est, somme toute, celle d'un homme qu'un travail moyennement fatigant, soutenu par une hygiène de vie appropriée, a amené sans dommage apparent à l'âge mûr.

Une enquête discrète m'a appris qu'en plus d'assister à la messe le dimanche, il profitait également du jour du Seigneur pour pratiquer la course à pied, et à l'occasion la pelote basque — sans être pour cela originaire du pays du même nom, puisqu'il est natif de Sologne, région où il possède une maison que ses parents lui ont léguée et où il se rend chaque week-end, dès l'ouverture de la chasse, afin de s'adonner à son sport favori.

Observant Dupuis, je ne pouvais m'empêcher de me demander comment un type dont la vie confortable et organisée devait avoir trempé le caractère allait se laisser intimider par trois mauvais drôles, la face dissimulée derrière des masques d'animaux. N'allait-il pas nous rire au nez ? Ce que, me semble-t-il, je ferais à sa place. Et si telle était sa réaction, qu'arriverait-il ? Allions-nous vraiment le contraindre par la violence à ouvrir le coffre ? Je ne m'y sentais pas prêt. Et, tandis que je suivais à travers les allées où elle allait de son pas nonchalant, échangeant au passage avec les ménagères sourires et propos légers, et lorgnant éventuellement de son regard concupiscent les jambes des gondolières qui, perchées sur des escabeaux, étaient occupées au réassortiment, notre victime présumée, un fait divers récemment lu dans un journal du soir me revint en mémoire : un vieillard est attaqué chez lui par trois rôdeurs qui lui font subir toutes sortes de sévices afin qu'il leur révèle l'endroit où se trouvent cachées ses économies. Le vieillard refuse : malgré les nouveaux coups administrés et le sang qui bouillonne de son flanc ouvert, il persiste dans son obstination. Les rôdeurs s'acharnent... rien n'y fait. L'homme ne livre pas son secret ; plutôt il choisit de mourir sous la torture. Si Dupuis était de ceux-là ? Ou si, en fervent de la chasse, en homme à qui il plaît de tuer, il sortait soudain, d'un endroit seul connu de lui une carabine ? Qui peut prévoir les réactions d'un homme qui se sent acculé au pire ? Ne pouvant les garder plus longtemps pour moi, je me suis dès le soir même ouvert de mes craintes à Boule d'Or, laquelle m'a répondu qu'elle me comprenait, mais que dans la vie on n'avait rien sans rien. En bref, qu'il était nécessaire de forcer le destin, si nous ne voulions pas *ad vitam æternam* en être les pantins.

Les jours se succèdent, me semble-t-il, à une cadence déconcertante. Hier, et comme pour mieux montrer que nous approchons de Noël, il a neigé.

Sale petite journée grise et frileuse. Pour l'égayer, j'ai fait du feu dans le brasero et, après y avoir longuement prêté mes mains, je me suis remis aux masques. Celui de Blanchette est terminé et, je dois le dire, plutôt réussi. A cause de son sobriquet qui, pour moi, évoque l'image d'une chèvre, je lui ai confectionné un masque représentant cet animal.

Et figurez-vous qu'il y a une heure à peine, le plaçant devant mon visage et me mirant ainsi travesti dans une chute de glace, une histoire que ma mère me racontait enfant m'est soudainement revenue en mémoire, avec une telle acuité que je crus entendre sa voix, chargée comme autrefois de mystère et de sombres présages, redire à mon oreille ces paroles qui jadis me glaçaient le sang :

« Hou ! Hou ! ... faisait le loup.

— Reviens, reviens ! ... criait la trompe.

Blanquette eut envie de revenir ; mais se rappelant le pieu, la corde, la haie du clos, elle pensa que maintenant elle ne pourrait plus se faire à cette vie, et qu'il lui valait mieux rester. »

Pourquoi m'est revenue cette fable oubliée, aujourd'hui, à la veille d'agir ? Et pourquoi, justement, ce fragment ? Vous allez me croire fou... Mais ne vais-je pas le devenir, si je persiste à m'en remettre à ma seule subjectivité ? Je m'accroche à Boule d'Or, comme un désespéré le ferait à sa prise de blanche, puisant dans nos extases l'oubli profond.

Depuis ma reconnaissance à la supérette, je ne

sors plus. Même plus pour accompagner Blanchette dans nos raids nocturnes. Le dernier, davantage par le dégoût qu'il m'a inspiré qu'à cause des coups reçus, m'a vacciné, je crois, contre ce genre d'empiétements. Pensez : nous étions sept, sept de hordes différentes, à convoiter deux seules créatures, lesquelles furent quasiment immolées sous mes yeux. En effet, après qu'elles eurent été rouées de coups, elles furent sodomisées à l'aide d'armes contondantes, puis, cet acte accompli, proprement embouties dans des boîtes à ordures d'où Blanchette et moi ne les avons dégagées qu'à grand-peine, vu que les malheureuses n'avaient plus la force de se mouvoir et que les coups nous pleuvaient dessus.

C'est pour cela, et pour maintes autres raisons encore, que quand je les regarde, quand je m'y appuie, quand j'y cogne mon front, je me dis que ces murs entre lesquels je me terre, s'ils ne me promettent rien de bon, ont du moins l'avantage de me protéger momentanément des atrocités qu'au-delà d'eux le monde véhicule impitoyablement.

Dimanche, jour de grand ménage. On brique au-dessus de ma tête, pas moyen de dormir. Et pourtant, j'en ai bien envie. Le sommeil lui aussi est porteur d'oubli. Tandis que l'insomnie nourrit les idées noires. Mais cette nuit, je n'en ai pas eu. La nuit, nous l'avons passée blanche. Boule d'Or est arrivée la première avec, sous sa cape, deux bouteilles de pastis subtilisées au rayon des apéritifs. Poil Dur la suivait de près, ce qui nous a à peine laissé le temps de nous embrasser. Dans un baquet plein d'eau rempli à cet effet, il a déversé un stock de bière considérable ; provenance : la cave de son plus proche voisin de palier. Un sale type, dit-il, qui dès dix heures sonnées, appelle les flics s'il entend une mouche voler. Blanchette, pour sa part, est arrivé un peu plus tard, mais avec du shit, ce qui a excusé son retard. Et ainsi réunis autour du brasero où flambait un beau feu, trop beau peut-être même, puisque certaines flammes atteignaient bien un mètre, après avoir bu et fumé, nous avons procédé à la remise des masques : un de chèvre, pour Blanchette ; un de sanglier, pour Poil Dur ; et un de rat, pour moi ! Boule d'Or, qui ne voulait pas être en reste, s'est plaqué une ébauche sur le visage et, tous les quatre, rassemblés en face de la chute de glace, nous avons ri à en mourir.

Tard dans la nuit, tandis que les dernières lueurs s'élevaient du foyer éclairant par accès l'épaisse obscurité de reflets rougeoyants, on s'est étendus sur le lit. Blanchette parlait du pays de ses ancêtres que bientôt il découvrirait ; Poil Dur de la cinq cents centimètres cubes qu'il chevaucherait bientôt ; Boule d'Or des plages de sable fin, où bientôt elle s'étendrait ; moi, je me taisais, j'écoutais ce qu'ils disaient, béat, à peine surpris qu'ils ne parlent plus du garage. La radio jouait en sourdine des airs de jazz et, je ne sais par quel détour fantasque, je m'imaginais que c'étaient mes parents, mes sœurs et moi qui improvisions.

Comme dans le rêve de *Sea Lawn Suite*, le cœur de Boule d'Or battait sous mes doigts et il me semblait par intermittence que, porté par les accords de la musique, arrivait jusqu'à moi la profonde respiration de l'océan tout proche.

Enfant, lorsque je découvris la mer, elle me fit peur, en raison de son immensité d'abord, et puis à cause de son grondement incessant que je perçus comme un appel. Il me fallut pourtant bien m'y aventurer : on ne m'y avait pas mené pour la regarder. Je le fis poussé par ma mère, qui pataugeait dans les vaguelettes avec ma sœur cadette. Une vague m'emporta, me ramena, je ne pesais pas bien lourd alors ; et Dieu que le jeu était plaisant ! On me repêcha à quelques brasses de la plage, pantelant, et je fus rendu à ma mère en larmes, dégorgeant d'eau salée, transi de peur et de froid, laquelle s'écria en me voyant :

« L'eau c'est fini pour toi ; t'y remettras plus jamais les pieds ! »

Et de fait, de ce jour je ne me suis plus jamais baigné, pas même dans une baignoire ! Mais cette nuit, était-ce pour vaincre une ancienne peur ou défier celle d'une autorité, qu'une fois que les autres se fussent endormis je m'étais plongé tout habillé dans le baquet d'eau glacée d'où n'émergeaient plus que quelques boîtes de bière et j'y étais demeuré, jusqu'à ce que mes membres devinssent gourds et que ma tête s'emplisse de noir ? Ce n'est pas un nageur, cette fois, qui m'a porté secours, mais plus banalement un copain qui avait besoin d'uriner. On ne se noie pas dans un baquet, pas au milieu des autres. Ce serait par trop romantique, et vraiment maladroit, je ne le suis pas à ce point-là. Blanchette a remis de la briquette et les brindilles qu'il nous restait sur les braises mourantes, puis il m'a aidé à me déshabiller.

« T'es pété ou quoi ? Et si je ne m'étais pas réveillé pour pisser... Tu veux claquer ou quoi ?

— Doucement...

— Quoi doucement ? Et si tu y étais resté, lavedu !

— Rouscaille pas, écoute-moi. J'ai l'impression qu'il se prépare une couille.

— La couille on est dedans.

— Une vraie, je veux dire, une grosse... dont on ne se sortira pas.

— Couche-toi frangin, ferme les yeux, ça ira mieux demain. »

Boule d'Or, Poil Dur et Blanchette sont partis à cinq heures et demie et à six ma mère s'est levée, décidée, dirait-on, à tribouler toute la maison. Et vas-y que je te transbahute le mobilier, que je te martyrise les plinthes à coups de balai-brosse, que je t'aspire et que je te houssine, enfin que je te balance des coups de pied et te fracasse au sol tout ce qui soudain paraît d'utilité douteuse. Ménage, prélude des jours de fête. Noël approche. Noël est là. « Sylvain, fais moi un beau sourire : c'est maman derrière la boîte noire. » C'était bien elle, mais c'était tante Edwige, qui me serrait dans ses bras. Tante Edwige dans son déguisement de gros rat.

Déguisement qu'elle avait tout exprès confectionné pour moi : pour m'amuser. Ce dont je lui sais gré, m'imaginant rétrospectivement la terreur qu'elle a dû m'inspirer, quand je l'ai vue paraître ainsi accoutrée pour la première fois. Car pour de jeunes yeux, ce travesti est proprement monstrueux. Taillé dans du cuir souple, il épouse parfaitement toutes les formes du corps, et celles de ma tante, généreuses par endroits et anguleuses à d'autres, m'ont toujours repoussé. On avait espéré qu'elle ne viendrait pas cette année ; elle nous en avait menacés ; mais, comme pour ce qui l'arrange elle a la mémoire courte, elle viendra ainsi que tous les ans, accompagnée de son assureur-conseil et de Poupette, son caniche royal. Ils arriveront sur le coup de neuf heures avec leur caravane, tirée cette année par une Mercedes gris métallisé dont ils ont fait récemment l'acquisition au Salon. Ils se gareront dans le jardin, sous les fenêtres. C'est pas que de là-haut la vue soit exceptionnelle, c'est qu'ils nous la prennent ! Comme en de semblables occasions, tante Edwige revêtira sa tenue de gros rat. Si j'ai grandi, si par la force des choses elle a renoncé à m'inquiéter, de caractère opiniâtre elle s'est rabattue sur les petits. Toute à la joie prochaine de les surprendre, dans un coin de mur, derrière une porte, elle évoluera en remuant la queue. Montrera à sa belle-sœur ses talents de cordon-bleu, son four à micro-ondes, son nouveau bracelet, sa dernière trouvaille : l'année dernière il s'agissait d'une machine à faire du pop-corn, qui sait ce que ce sera cette fois ? Et puis son couple, si réussi, comparé à tant d'autres. C'est vrai que sans gosse c'est plus facile. Des brutes, les gosses ! Ça vous déglingue un ménage en moins de deux. Et pour la reconnaissance et l'affection, vous repasserez ! Tandis qu'une bête...

« Ah ! ça c'est vrai que la nôtre n'est pas chienne », dira dans une envolée spirituelle notre assureur-conseil.

« Et comme ça, ça lui fait quel âge à Poupette ? » questionnera benoîtement ma grand-mère, qui oublie d'une année sur l'autre celui de ses petits-enfants.

« L'âge de ta dernière, répondra tante Edwige à ma mère, elles sont de mai toutes les deux. »

De conserve, mes grands-parents hocheront la tête. Eh oui, le temps passe... Pareil il emporte les hommes et les bêtes. On parlera des absents, de ceux qui ne fêteront plus jamais Noël. Des noms circuleront comme autant de photos jaunies : Niquette, Albert, le petit Stéphane. « Le Bon Dieu avait rappelé un ange auprès de lui. » C'est ce qu'il fallait se dire. C'est ce dont tentait de se convaincre sa mère depuis maintenant treize ans. L'atmosphère se fera pesante. Aussi mon père, homme de bonne volonté, mettra-t-il en marche le poste de télévision, prémices aux réjouissances à venir, puis ce sera un va-et-vient incessant.

L'après-midi durant, tante Edwige courra de

notre cuisine à celle de sa caravane, suivie de sa chienne haletante, de sa mère emphysémateuse, de ma cadette bougonne, de la petite dernière exaltée, de ma mère au bord de la crise de nerfs. La maison s'emplira de courants d'air, de fumet de dinde, de fragrances diverses, d'aboiements et de cris. Ça sentira Noël.

Les Robeux arriveront alentour de vingt heures. Ils montent du Cantal, dans ce que tante Edwige appelle un cercueil roulant. C'est vrai que leur caravane est loin d'être aussi luxueuse que la sienne et que leur attelage est plus que démodé. Ils se gareront dans la pente qui autrefois descendait au garage, mais qui désormais s'arrête à une porte condamnée. La voiture étant la première chose dont mes parents se soient défaits, quand la nécessité de réduire les dépenses s'est imposée. J'aime bien ma tante Yolande, chez qui jadis j'allais passer les grandes vacances : elle me rappelle ma mère, quand celle-ci était plus jeune, plus gaie. Son mari en revanche est un malotru, brutal et grossier, ce qui va de pair. Il distribue les torrioles comme les conseils, c'est-à-dire tout le temps. Mais ma tante Yolande dit qu'elle a le cuir tanné et qu'à côté des roustes que lui filait son père celles de Louison c'est des caresses.

Une fois réunie, histoire de s'ouvrir l'appétit, la famille se fera une soupe de pastis, puis on

passera à table ; on mangera longtemps, en plaisan-
tant d'abord, et, le vin chez certains engendrant la
mélancolie, on parlera de nouveau des absents. Il y
aura alors des sanglots et des échanges de mots, car
Noël, faudrait pas se méprendre, n'est pas seulement l'avènement du messie, ni la jubilation du
commerce, c'est aussi l'occasion de laver son linge
sale en famille. On fera un peu de lessive, juste
après la dinde aux marrons, mets lourd à digérer
s'il en est. Enfin vers les onze heures, on entendra
frapper discrètement à la porte : ce ne sera pas le
père Noël, ça sera Mme Renée, une voisine retraitée,
accompagnée de son pseudo-neveu, un grand garçon
aux dehors timides et gauches qui a trente ans de
moins qu'elle. Mais, comme le dit si bien ma tante
Yolande, une fois à l'horizontale, qu'est-ce que ça
fait ? C'est debout que c'est dur. Debout et sous le
regard des autres. On se serrera, pour faire une
place aux nouveaux venus, juste passés pour prendre
le café et nous souhaiter un joyeux Noël.

La soirée languira entre le café, la bûche et les
liqueurs. En repoussant la part du gâteau qu'une
main généreuse lui tendra, Mme Renée évoquera
son cholestérol, puis courroucée, elle essuiera, d'un
doigt humecté de salive, un reste de crème au
beurre, retenue dans la moustache de son protégé.
« Comment tu manges... » Le visage de l'accusé
s'empourprera. « Mais ma tante, s'il n'y avait pas
cette moustache ridicule que vous me forcez à porter

pour que je paraisse plus vieux. » Silence. Seul le rire des enfants montant clair, là-bas, quelque part du côté du sapin noyé dans la fumée des cigarettes. Bientôt les premiers accords d'un tango résonneront pour dissiper la gêne. Les couples se formeront et le salon-salle à manger se verra transformé en salle de danse, où ma petite sœur évoluera parmi les grands, avec une maladresse touchante. Je sentirai contre la mienne la douce poitrine de tante Yolande. Grisé, je me laisserai guider, bercer. Les yeux fermés, je reverrai ses enfants au sein. Elle en avait un chaque été.

On dansera, on s'étourdira, jusqu'au moment où une voix empâtée osera : « Si on allait se coucher... » Annonçant par là même la fin des festivités, auxquelles par bonheur je ne participerai pas cette année.

Nous avons en effet décidé, le coup fait, et réussi bien entendu — ce qu'à aucun moment les autres ne mettent en doute — d'aller réveillonner dans une brasserie sur les grands boulevards. Laquelle, on n'en sait rien ; c'en est plein en tout cas, toutes plus accueillantes les unes que les autres quand on a du fric dans les poches. Je n'ai pas jugé utile pour l'instant d'informer ma mère de ma prochaine absence : je le ferai à la dernière minute, quand, affairée par la venue des invités, elle n'aura d'autre choix que de faire contre mauvaise fortune bon cœur. Et puis, sait-on jamais si, au dernier moment, cédant à l'appel de mes formes, je ne retirerai pas mon épingle du jeu ? Perdant par là Boule d'Or et deux copains, mais y gagnant ma paix.

Comment trancher ? Ah ! les larmes m'en montent aux yeux. Oublions !

Nous nous ferons donc propres avant de partir, de façon que nous n'ayons pas à repasser par nos foyers pour nous changer. Boule d'Or elle-même portera, à cette occasion, sous sa blouse la robe qu'autrefois elle s'était achetée en vue de nos fiançailles — lesquelles n'eurent jamais lieu en raison d'un caprice, ce bien que le banquet eût été commandé, la salle retenue, et qu'à l'instar des réveillons de Noël la famille se fût trouvée réunie au complet ! Si je n'en gardais un reste de blessure d'amour-propre, je rirais à l'évocation de ce souvenir car, à bien y penser, la situation était cocasse.

Imaginez la famille tout endimanchée autour de la table abondamment pourvue, et pressée de se remplir la lampe à peu de frais, la musique qui joue, et qui gêne, puisque la fiancée n'arrive pas... Et la faim creuse ; bientôt, on succombe à ses tiraillements ; du bout des lèvres on attaque les cochonnailles. C'est vrai qu'on compatit mieux le ventre plein. Et puis on reboit un coup, puis deux, puis trois. Ça calme la fièvre. Sur son socle de nougatine, la pièce montée évoque curieusement l'attrape. Qu'importe, on festoie ! En quel honneur, on s'en bat l'œil à l'heure qu'il est. La chair est bonne, et le vin si doux au palais ! Il chatouille tant et si bien qu'on en oublie le délaissé qui, lui, attend la fiancée, dans son costume acheté exprès, gris pour faire gai, gris comme le pelage d'un rat, grise sa mine, gris tout !

N'empêche que la fête bat son plein, que les mandibules et les commentaires vont bon train.

« Une punaise ! la fiancée, une fille de rien ! »

C'est sa chute que l'on célèbre maintenant. On la piétine parmi les rires...

On va l'achever quand soudain son frère fait irruption dans le cirque, me soustrayant *in extremis* à l'horrible spectacle de sa fin. Elle n'est plus en danger. Elle a eu peur, c'est tout. Peur de tout au dernier moment. Elle m'attend sur notre banc.

« M'aime-t-elle ?

— Oui », son messager m'en assure.

Alors, plantant tout là, je cours vers son amour. Elle n'est pas sur le banc. Sur notre banc, il y a une femme perdue dans un soliloque mystérieux, qu'elle adresse non pas au ciel, mais à la terre, à qui elle parle de Balder, sous les pas duquel la glace s'est ouverte.

« Le dieu du soleil n'est plus, les eaux glacées du lac l'ont pris. *Hel*, la déesse de la mort s'est pour toujours couchée sur lui. O mon enfant, mon fils, mon très petit... »

Je fuis l'infortunée et découvre Boule d'Or, couchée dans l'herbe verte d'une pelouse interdite. Sa tête est comme un soleil tombé parmi le trèfle en fleur. Elle m'ouvre ses bras et ses lèvres, enlacés nous suivons l'inclinaison qui descend en pente douce jusqu'au bord du bassin, où de jeunes enfants, en quête d'aventure, poussent à l'aide de bâtons de frêles embarcations. Un coup de sifflet retentit, mais nous en faisons fi. L'amour ne souffre pas qu'on le rappelle à l'ordre.

« Y a pas pire engeance que ce qui porte l'uniforme et même les facteurs sont à soupçonner. La preuve, il paraît que c'est de l'un d'eux qu' je suis née. »

Ainsi improvisait Boule d'Or, couchée dans l'herbe à mes côtés, sous le regard furibond du garde qui nous menaçait d'appeler la pestaille si on ne se remettait pas sur-le-champ à la verticale, si nous ne cessions séance tenante de nous vautrer devant les enfants — lesquels, ravis que l'on tienne tête au croquemitaine, dédaignant leurs embarcations, frappaient à qui mieux mieux dans leurs menottes.

« Eh ben, vas-y, siffle, beau merle ! lui a dit Boule d'Or, entre bêtes à plumes on se reconnaît... »

Il a fait l'erreur de se pencher sur elle et de la saisir par son bras nu. Cette erreur a failli lui coûter la vue. Preste, elle était sur ses jambes, visait les yeux du représentant de la bonne marche des choses, où bientôt s'enfoncèrent ses ongles acérés, tandis que vélocement elle le bourrait de coups de pied.

« Je suis mutilé de guerre, hurlait l'assailli, ça va vous coûter cher ! »

Mais il ne parvenait pas à s'en défaire. Elle s'était accrochée à lui comme un buisson de ronces à un îlot de chèvrefeuille. Et comme une ronce, lui déchirait la chair, disant :

« Mutilé, tu vas l'être maintenant, mutilé, tu vas l'être vraiment ! »

Suivant notre accord, je me gardais d'intervenir, mais j'étais debout et prêt à le faire, dès le premier signe de défaillance qu'elle manifesterait. Elle m'avait dit tout de suite, la première fois où l'on s'était aimés, peau contre peau :

« Moi, c'est pas un garde du corps que je cherche, ni un mec qui me ramène sa paye et se donne par là le droit de me fliquer, voire me bastonner, me grimper quand il a les choses pleines. C'est plus compliqué que ça... Ce que je cherche moi, c'est un mec qui m'aime. Un mec qui n'aimerait que moi. Un mec qui, même en pensée, ne me trompera jamais. Ce que je cherche, moi, c'est un mec comme il n'y en a pas.

— Tu me fais mal.

— Ça passera. »

Nous avions fini par prendre la fuite, les enfants

à la vue du sang ayant ameuté nounous et mamans. En passant devant notre banc, qu'il allait nous falloir momentanément oublier, j'avais eu le temps d'apercevoir l'infortunée mère qui grelottait dans ses habits d'hiver, malgré l'ardeur du grand soleil. Boule d'Or aussi tremblait quand plus tard je l'ai prise dans mes bras.

Elle m'a promis de passer dans la journée, mais je la connais, elle aime tant dormir ! Comment combler l'attente ? En écrivant, bien sûr, mais cela suffit-il, quand ma pensée est tout entière accaparée par le désir que j'ai de l'avoir près de moi ? Quel supplice cette nuit, que de nous être trouvés entourés des autres, quand son corps était là, offert, qu'à trois reprises, profitant de l'ombre complice, elle a guidé ma main vers ses tiédeurs ! Ces instants perdus, les rattraperons-nous jamais ? Et d'où me vient cette soif de la posséder corps et âme ? Vigoureusement, comme une moisson de blé qu'on ravit à l'orage. Si j'osais, si je ne craignais pas d'essuyer un refus, allant contre nos belles idées, je lui demanderais de devenir ma femme, et je lui ferais un enfant et...

Plus tard. On a frappé à la porte, mais ce n'était pas Boule d'Or, c'était ma mère, venue me chercher afin que je lui donne un coup de main à déplacer le réfrigérateur. Elle avait le visage bouffi et les yeux rouges.

« Tu as pleuré ? lui ai-je gauchement demandé.

— Ça ne se voit pas ? m'a-t-elle répondu.

— Si.

— Alors, pourquoi tu demandes ? »

Déplaçant le meuble, elle a marmonné qu'un de ces quatre matins, elle prendrait le chemin de l'hôpital, et qu'alors faudrait bien qu'on se débrouille sans elle. Puis elle a jeté une giclée d'eau de Javel pure sur le carrelage, qu'elle s'est mise à frotter avec rage. Quand elle en a eu terminé, je l'ai aidée à remettre le réfrigérateur à sa place. Et comme je restais dans la cuisine, désireux de savoir, sans oser le lui demander, si je pouvais encore lui être utile, elle a dit :

« J'ai pas besoin de fainéant ici, retourne dans ton trou ! »

Cédant à je ne sais trop quelle complaisance, j'ai eu envie de la prendre dans mes bras, de lui dire de ne pas s'en faire, que je n'avais pas tout perdu de ma distinction naturelle. Que, tout comme le bonheur, le malheur n'est pas immuable. J'ai fait un pas vers elle, mais elle a mis son balai entre nous.

« Retourne dans ton trou, a-t-elle répété, retournes-y puisque tu t'y plais. »

Sur mon lit, j'ai trouvé Poil Dur couché, une canette à la main.

« Faut que je te parle, m'a-t-il dit. Ça ira vite. C'est rapport à Dupuis. Faut qu'on soit bien d'accord, Fantin. Sans le pognon on sort pas de la boutique, quitte pour ça à faire couler un peu de sang. Un minimum, tu me suis. On n'est pas des bouchers... »

Il a vidé la canette, puis il a ajouté :

« Au fait, en parlant de raisiné, j'ai une commission pour toi. Ma frangine viendra pas. Elle a ses ours. Allez, salut, le rat. »

J'ignore combien de temps durent généralement les menstruations d'une femme. Mais si j'en crois les bribes de conciliabule que j'ai surprises entre ma mère et ma sœur cadette, cette période varie entre quatre et sept jours. Comme il m'est difficile de mettre leur parole en doute sur ce sujet précis, j'en conclus que Boule d'Or est une exception, puisqu'il y a neuf jours qu'elle ne se montre pas.

« Elle dort, me dit Poil Dur, elle passe son temps couchée avec un fer à repasser chaud sur le ventre. Elle a pris ça de notre vieille qui faisait pareil. Même après qu'on l'avait vidée, elle continuait ; c'était devenu une habitude. Je sais pas si c'est à cause de ça, mais dans les derniers temps elle avait la peau du bide lisse comme une bulle.

Allez, salut, le rat ! Et t'en fais pas. L'essentiel c'est qu'elle soit d'aplomb pour Noël. »

— Attends, Poil Dur, écoute...

— Je te reçois, qu'est-ce qu'y a ?

— Ta mère, elle est morte de quoi au juste ?

— De tout... »

Il m'est venu la pensée atroce que Boule d'Or pourrait mourir sans qu'il m'ait été permis de la serrer une dernière fois vivante dans mes bras. De lui dire combien je l'aimais et l'aimerais ma vie durant. Chérirais son souvenir si je lui survivais. Elle refuse de me voir, quand nous venons à peine de nous retrouver.

« Faut comprendre, dit Blanchette, y a des gens qui sont comme les bêtes. Ils se planquent quand ils souffrent. C'est pas plus mal, si tu penses à ceux qui te foutent leur chtourbe sur les bras, et vas-y, démerde-toi avec. Tu m'as voulu, tu m'as eu ! Moi, je ferais comme elle... Et puis oh, pourquoi tu sors pas ? T'oxygéner du moins. Tu dépéris frangin, fais gaffe, s'agit d'être battant le 24. »

Blanchette a raison. Ce n'est pas le moment de flancher et c'est vrai que par moments je sens mes forces s'amenuiser. Comme si par un malin détour Boule d'Or les attirait à elle, à l'instar d'une étoffe dans laquelle elle s'envelopperait quand nous sommes séparés. Tandis que moi, dépouillé, je n'ai d'autre endroit où me réfugier que ma gamberge qui, bien que je sois attentif, fait de moi son jouet. Comme l'araignée elle tisse sa toile. Mais je ne suis pas si méthodique que cet insecte, loin de là. Aussi, à peine ourdi, l'ouvrage qui devait me servir d'appui est détruit. Les fils s'emmêlent, s'enchevêtrent, formant un embrouillamini tel qu'à l'idée de le démêler je baisse les bras. On est incapables, si gauches. Malgracieux, on balance d'un fil à l'autre. On fait des nœuds. On en dénoue, là où il n'y a pas lieu de le faire. S'en apercevant, on tente vainement de retourner en arrière. On y parvient parfois, mais c'est trop tard : là où était clarté est désordre ; là où était feu est cendre ; là où était grandeur n'est plus que turpitude. En hâte, on débarrasse le plancher.

« Bon vent », c'est la Luciole qui a parlé. La Luciole qui éclaire la toile d'araignée, qui rit de notre désarroi.

« Battant », souffle-t-elle railleuse tandis que nous fuyons sa cruelle lumière. Dans notre précipitation, il arrive que l'on tombe dans des trous d'ombre. On se relève, les jambes en coton. Estourbis, on cherche la sortie, on croit l'atteindre. Quelle naïveté ! Durant la chute, la pensée jumelle de l'araignée n'a pas cessé de tisser. On a un fil à la patte. Il nous retient. On se prend les pieds dedans. On tourne en rond. On s'épuise à force de tergiversations. Epuisés, on invoque quelqu'un dans le lointain, qui passe drapé de voiles inexpugnables. On ferme les yeux à la vue de l'horreur. Comme c'est pratique ! On appelle le bleu, il vient. On souffle, les forges de l'amour se raniment.

« Et si c'était moi ?

— Toi ?

— Moi, celui qui n'existe pas...

— Toi, unique ?

— Toi et moi, uniques.

— Nous deux ?

— De qui pourrait-il s'agir d'autre ?

— Nous deux uniques ?

— Nous deux.

— Cela doit être insupportable.

— Comment ? Puisque notre amour le sera lui-même.

— Unique, notre amour ?

— Notre amour ! »

« Dommage que tu sois pas venu avec moi hier soir, m'a dit Blanchette en franchissant le seuil de ma retraite. On n'aurait pas été trop de deux, pour mettre un bœuf à genoux. Regarde mes pognes. Figure-toi que je me suis colleté avec une fausse tante, enfin quoi, un de ceux qui se font endaufer en passant : un coup je te vois, un coup je te vois pas. Mariée la pelure, tu veux voir les photos de famille ?

— Non merci.

— T'as tort, c'est touchant... Mais le blé, tu veux bien le voir, le blé, tout vert, regarde-moi ça ! Trois cents US, petit frère. Et on fade. Comme au bon vieux temps.

— Ramasse ça.

— T'es jeté, ou quoi ? Dis, frangin, tu dérailles ?

— Ramasse ces biftons, j't'ai dit, j'en veux pas ! »

Blanchette s'est assis sur un bidon. Il a fermé les yeux. Moi, je l'ai regardé, tout entier, comme encore je ne l'avais jamais fait. J'ai vu ses godasses aux talons éculés, son jeans graisseux, son blouson noir aux coutures éclatées, l'insigne que je lui avais fait dans un couvercle de boîte de ravioli, riveté à sa manche gauche. « Plus bête que moi, y a le singe, et plus bête encore celui qui dit que j'en descends. » J'ai vu ses mains, superbes hier et aujourd'hui meurtries. Et j'ai pensé qu'on ne s'en sortirait pas. Que les dés étaient truqués. Qu'on était destinés à perdre. Alors, j'ai pleuré sans raffut, pour la première fois depuis que je suis gosse en la présence d'un de mes semblables.

« Elle va mieux, vieux, m'a dit Blanchette, en me posant la main sur l'épaule. Ce matin elle était à sa caisse. »

Boule d'Or est revenue le soir même du jour

où elle avait repris son travail, bardée de cuir et toute pâle, les yeux faits jusqu'aux tempes qu'elle s'était dénudées au rasoir.

« Il fait un froid de mort ici », a-t-elle dit en entrant. J'ai aussitôt chargé le brasero, que j'ai approché du lit où elle s'est blottie sans un mot. Dès que le feu eut pris, je lui ai ôté ses bottes. Doucement, j'ai entrepris de masser ses mollets. Là où le sang s'accumule, dit-elle. Là où c'est lourd. Là où y a des jours tu voudrais t'amputer, tellement ça pèse. Là et la tête. Après les mollets, j'ai pris le soleil tombé entre mes mains. J'ai caressé les tempes rasées, la nuque, la longue mèche en forme de queue, qui rappelle celle de l'épimaque superbe. J'ai caressé sa cuirasse. Le feu crépitait. Dans un jardin voisin, quelqu'un coupait du bois à la tronçonneuse. Le bruit de la machine, strident, me donnait sur les nerfs. Et j'avais l'impression que, dehors, la nuit était glaciale.

« Il fait très froid ? ai-je demandé.

— J'en sais rien.

— Mais tu viens de dehors.

— Et alors ? »

Quand Boule d'Or était de cette humeur, mieux valait ne pas insister. Laisser venir, attendre, se taire surtout, le moindre mot pouvant déclencher sa colère. Prudent, je me suis étendu auprès d'elle. La tronçonneuse poursuivait son va-et-vient lancinant. L'été dernier, un copain avait perdu deux doigts comme ça. Tout étonné, il les avait ramassés dans l'herbe rougie et s'en était allé à travers les rues, pleurant, avec les morceaux de son corps mutilé dans sa main valide.

« A quoi tu penses ? a dit Boule d'Or.

— A Garbier...

— Pourquoi tu penses à lui maintenant ?

— A cause du bruit de la tronçonneuse... On le voit plus depuis qu'il est marié. »

Boule d'Or a ricané. J'allais lui en demander la raison, mais c'eût été la provoquer.

« Il est aux dingues, Garbier. Il a voulu étrangler sa bonne femme, tu le savais pas ? C'est vrai que, de ton trou, tu captes pas loin. »

Sur ces mots, elle s'est tournée vers le mur, a enfoncé sa tête dans l'oreiller. Moi, je ne pouvais plus rester couché. Je me suis levé et, sans réfléchir aux conséquences que mon geste pourrait avoir, j'ai donné un grand coup de pied à l'une de mes formes, celle qui a toujours l'air de me regarder de biais. J'aimais bien Garbier, c'était un chic type. Toujours prêt à dépanner qui en avait besoin, toujours l'oreille dressée quand il entendait parler d'un petit boulot à s'appuyer. C'est par lui que j'avais eu un chantier. Garbier aux dingues, qu'est-ce qui lui avait pris ? Il s'était marié au mois de mai...

« Il avait découvert qu'elle le trompait, c'est ça ?

— Tout de suite ! Et même si c'était ça, c'était une raison pour l'étrangler ?

— C'est quoi alors ? Si tu le sais, dis-le ! »

Boule d'Or s'est retournée, elle a pris appui sur un coude. Elle souriait d'un petit sourire clos, qui relevait la commissure droite de ses lèvres, formait comme une minuscule corne sur sa joue, fixant sur moi deux yeux brillants enchatonnés de noir, où passaient des lueurs de défi.

« Il ne pouvait plus la caresser comme il voulait, dit-elle. Il ne pouvait plus la faire jouir, comprends-tu ?

— Mais il avait deux mains ! m'écriai-je. Deux mains ! »

Boule d'Or ricana de nouveau.

« Oui, mais il ne savait pas s'en servir comme toi !

— Quoi ! Tu savais ? Alors, pourquoi tu t'es toujours assise à ma gauche au cinéma ?

— Question de profil...

— Oh ! tu joues, toi, tu joues toujours comme si la vie était une scène. »

On a tambouriné à la porte. Aussitôt nous nous sommes tus, et de conserve n'avons plus fait un geste.

« Ouvre, Sylvain ! »

C'était la voix de ma petite sœur.

« Ouvre, c'est moi ! s'époumonait-elle, j'ai une

bonne nouvelle. Papa a trouvé du travail. Il commence lundi à Paris comme *margasinier*. C'est tante Edwige et l'oncle Arnaud qui lui ont trouvé du boulot. C'est plutôt oncle Arnaud, mais c'est les deux quand même. Ouvre Sylvain, il a rapporté du bon vin, il veut que tu montes trinquer. Il est content tout plein. Pourquoi t'ouvres pas ? T'es pas là ?... »

Quand les petits pas se sont éloignés, Boule d'Or a dit :

« *Margasinier*, un chouette métier ! »

Puis elle m'a de nouveau tourné le dos. Je lui en ai voulu de faire entrave à ma joie. Mais, pour qu'elle ne le soupçonnât pas, j'étais retourné m'étendre près d'elle. J'avais relégué Garbier et son malheur au second plan, pour ne plus penser qu'à mon père là-haut, qui fêtait simplement d'avoir retrouvé du boulot. Le charbon brasillait, il faisait bon dans les parages du lit, un grand halo bleuâtre ondoyait autour de la lampe à pétrole, tout était paisible. Seuls, de loin en loin, s'entendaient encore les vrombissements de la tronçonneuse et j'aurais été bien, si ce n'avait été la froideur de Boule d'Or. Je savais qu'elle pouvait s'endormir distante, moi je n'y parvenais pas, pour ce faire j'avais besoin que nous nous rapprochions. N'osant ni bouger ni la toucher, je me préparais donc à passer auprès d'elle une nuit blanche, quand elle se redressa et dit :

« Ça te rendrait fou aussi, ça te rendrait fou comme lui, si tu ne pouvais plus me caresser comme tu veux ?

— Sans doute, dis-je.

— Ah ! tu n'en es pas sûr.

— Mais si, dis-je en tournant mon visage vers le sien. J'en suis sûr, je deviendrais fou.

— Pourquoi tu ne l'as pas dit tout de suite alors ?...

— ... parce qu'en vérité je n'en suis pas sûr.

— Tu vois !

— Attends, je serais très malheureux, de ça je suis sûr. Mais on ne devient pas fou comme ça... Remarque, que je le deviendrais peut-être.

— Je voudrais que t'en sois sûr.

— Je ne peux pas. Ce serait malhonnête de te dire ça. Comme ce serait malhonnête de te dire que tout va bien se passer le soir du 24.

— T'y penses ?

— J'arrête pas.

— Moi aussi, de plus en plus maintenant que ça se rapproche... Tu feras vite.

— Pour ça, tu peux compter sur moi.

— Tu m'aides, je suis tout engoncée dans mes trucs.

— Tu te laisseras pas embrasser, dis ?

— Ça dépendra de ta vitesse... De toute façon, y a une masse dans l'infirmerie. Un bel outil, s'il me les casse trop, je l'estourbis avec.

— Une masse ?

— Ben oui, quoi, une masse !

— T'énerve pas, viens, laisse-moi faire. Donne-moi ton bras, voilà, et puis l'autre... »

La tronçonneuse s'était tue, j'en jugeai qu'il devait être plus de dix heures. Le sommeil nous avait happés enlacés, assouvis, heureux. Des voix résonnaient, faiblement, faiblement, en un long chuchotement sourd et prolongé : un film sûrement. Bientôt à leur tour elles se turent et s'éleva celle de mon père, éméché sans doute, pour s'échauffer ainsi à pareille heure :

« Ah ! ils ont voulu me mettre à la casse, déclamait-il, contre ma volonté, mais ils n'y sont pas arrivés. Pas arrivés, malgré la présence des étrangers. Pas arrivés ! »

Ces propos heurtés furent suivis de pas traînants, lourds, puis le silence se fit total. Même le feu ne chantait plus, mais je me sentais trop paresseux pour le ranimer. Puis Boule d'Or avait noué ses bras autour de mon cou. Je ne voulais pas qu'elle les dénoue.

Quand j'ouvris les yeux pour la seconde fois, il faisait dans la cave un froid à vous raidir les membres. Mon cou était nu, la place de Boule d'Or vide. Elle était partie, laissant derrière elle la porte grande ouverte. Le vent, qui soufflait en maudit, avait charrié des feuilles mortes jusque sur le lit. Mon seuil était jonché de papiers sales et autres immondices, et mes formes les plus légères gisaient à terre. Je me levai en frissonnant et, enveloppé d'une couverture, me hâtai vers la porte. Le jour pointait à peine. Sans éclat. Un jour d'hiver. Cependant, du côté du stade, là où la vue était dégagée, une large bande rose figurait l'horizon. Mais dire si c'était bon signe ou non...

Encore une fois, la magie avait opéré cette nuit entre les bras de Boule d'Or, et qu'il fît gris ou pas était de moindre importance. Précipitamment je refermai la porte, comme si j'avais craint que le lieu de nos joies nocturnes pût s'altérer à la lumière du petit jour. C'est alors que je vis son message sur le panneau, écrit en grosses lettres au charbon : « MOI, JE DEVIENDRAIS FOLLE. MOI, JE LE SAIS. MOI, JE NE VIS PAS D'A PEU PRES. »

Aussitôt, rompant le vœu que je m'étais fait de ne pas sortir avant le 24, je décidai d'aller l'attendre le soir à la sortie de la supérette. Et comme je rompais un vœu, j'en rompis deux, cessant par là un jeûne qui avait duré plusieurs jours. Après avoir rechargé le brasero, je fis bouillir de l'eau, et bientôt me régalai d'un grand bol de café soluble, auquel j'avais ajouté deux pleines cuillerées de miel. Quand je l'eus vidé, j'éventrai un filet de noix. Je broyais les coquilles entre mes dents, mes doigts, avec une joie sauvage. Ainsi, elle m'aimait ! Ainsi, elle en convenait enfin ! Je croquai des noix jusqu'à l'écœurement. Plus tard, trop fébrile pour écrire ou donner forme à mes rebuts, je décidai de passer chez Blanchette. Il me fallait communiquer mon bonheur, le faire partager à quelqu'un. Surprendre ma propre joie dans les yeux de mon ami.

Le givre avait raidi les nombreuses touffes d'herbe qui crevaient le gravier de l'allée, les réduisant à des pelotes blanchâtres, craquantes comme du verre sous le pied. La porte en fer était chargée de minuscules larmes transparentes que le froid retenait en suspens et tous les arbres des jardins alentour frissonnaient, dépouillés de leurs parures. Cet hiver venu tardivement s'annonçait rigoureux. Mais je ne le redoutais pas. Pour l'heure, d'ailleurs, je ne redoutais rien. Pas même de croiser un voisin, lequel, malgré la bise qui cinglait, ne manquerait pas de venir me regarder sous le nez. Sans forcer, j'étais devenu une figure dans le quartier et, qui mieux est, celle d'un chifforton, de qui l'on disait derrière le dos qu'il ne lui manquait que la hotte et le crochet pour être parfait !

« Laisse couler le Gange, disait Blanchette ; laisse-les causer, frangin. Quand le sujet sera épuisé ils passeront à autre chose. C'est leur came de baver, privés de ça ils crèveraient. C'est quand même pas leur mort que tu veux ? »

Assurément : non. Encore que ça dépendait des jours. Y en a que ça allait rudement emmerder qu'on rapatrie pas les habitations à loyer modéré. En seraient pour leurs frais les détracteurs à la petite semaine, maintenant que mon vieux avait retrouvé du boulot. Pourraient toujours, en désespoir de cause, se torcher les yeux dans leurs rideaux. De béton ne leur en déplaise, on avait notre content. Surtout qu'on s'y était retrouvés entoilés par surprise, après avoir goûté la paix de l'allée Marie-Louise. Mais la famille s'agrandissait, fallait bien, si possible, que le reste suivît.

En cheminant d'un bon pas vers ce qui avait été mon premier logis et où je m'étais toujours refusé à retourner, de crainte sans doute que ce lieu où s'était écoulée mon enfance ne se trouvât lui aussi sous mon regard grandi réduit à un carré malpropre, il me revenait en forçant ma mémoire, laquelle aura été viciée malgré ma vigilance par celle de mes parents, qu'il régnait en cet immeuble une quiète atmosphère de pension de famille. L'escalier en colimaçon, que cirait la concierge avec un dévouement extrême — car, disait la brave femme qu'une foi tardive aveuglait, ces marches-là pourraient bien être celles qui mènent au ciel, puisque Dieu, dans sa très grande miséricorde, donnerait le moment venu priorité aux petites gens — glissait comme une patinoire. Inconvénient tel qu'on ne pouvait l'emprunter, dans le sens de la descente ou de la montée, qu'en se cramponnant à la rampe. Ce que l'ensemble des locataires faisait de bonne grâce, aucun ne souhaitant se casser une jambe, et tous tirant orgueil de cet escalier si bien entretenu où, s'il arrivait que l'on croisât un rat, on feignait de l'ignorer. Ce qui n'était pas le cas entre voisins, au contraire ! Et, toujours en ne me fondant que sur une mémoire qui aura été empiétée par celle des autres — sans parler des ravages du temps, lesquels sont innombrables et souvent ne nous restituent du souvenir que quelques bribes échevelées dont certaines si l'on s'y attarde se révèlent être pernicieuses —, je dirai que les locataires du 9, allée Marie-Louise recherchaient mutuellement leur compagnie et qu'hormis quelques âmes réfractaires à l'échange ces gens (dont faisaient partie mes parents) entretenaient des rapports amicaux et quasi familiaux. Au point qu'ils ne se quittaient pas des yeux. Ce qui, à première vue, pouvait passer pour un défaut ; mais, à y regarder de près, se révélait être un avantage : ils ne connurent jamais l'embarras d'avoir à faire la queue devant les portes des lieux d'aisance. Car qui dit bon voisinage dit respect des habitudes de son prochain.

Hélas ! Comme toute vertu a ses failles, il n'était point rare de voir, alignés le long des murs jouxtant les waters, des seaux hygiéniques, abandonnés là dans la hâte que leurs propriétaires avaient eue de courir au travail. Nous-mêmes, dont pourtant l'étage n'était pas équipé de commodités, trouvions régulièrement sur notre palier cet entreposage singulier. Et je me rappelle m'être maintes fois imaginé ce locataire du premier, un petit monsieur au nez désespérément enchifrené dont la fonction était de payer des mandats, et qui avait l'air si sérieux derrière son guichet, s'élancer de bon matin parmi les degrés, son seau plein à la main, en quête d'une porte libre d'accès derrière laquelle il eût pu s'alléger ; et qui, n'en trouvant pas, se voyait contraint d'abandonner sa charge sur le seuil de ses voisins.

Après de nombreuses années, l'image de ces seaux, dont il m'arriva en cachette de soulever certains couvercles pour y précipiter, je le confesse, des rats dont la poitrine palpitait encore, me revient avec tant de netteté que je me fais fort de les apparier par couleur à leur propriétaire.

Rien n'a changé au 9, allée Marie-Louise. D'autres enfants, sur le trottoir où j'ai joué, jouent aux mêmes jeux que moi, avant de prendre le chemin de l'école. Seule différence : ils portent leurs cartables au dos ; ainsi ceux-ci feront-ils plus d'usage. L'arbre est là, au centre de la cour minuscule. En faction. Il garde les poubelles autour desquelles rôdent de beaux chats souriciers aux pelages électrisés. Il n'a pas grandi, pas rapetissé : c'est le même. La porte d'entrée grince du grincement bien connu, qui toujours nous prévenait à temps des intrusions de la concierge dans notre monde. L'odeur m'enveloppe, me prend et me transporte, exubérante synthèse de pourriture, de détersifs, de tinette et de soupe de légumes. Quoi de plus fiable que les exhalaisons pour remonter le cours du temps ? Pourtant, il manque quelque chose à ce mélange, d'essentiel — le parfum de l'encaustique. Et puis la boule d'amortissement de la rampe d'escalier, ce globe magique et rutilant où s'élargissaient mes prunelles et qui donnait à la cage sombre un air de fête —, disparu : ne demeure qu'une tige de fer nue. Les marches ne glissent plus, ne brillent plus. Passées à la paille de fer, elles sont rugueuses et ternes, parcourues de veines blanchâtres, de sillons encrassés. Ça fait presque mal d'y poser le pied. Et pourtant, mes pas y résonnent, comme sur de la pierre.

« Vous cherchez ? »

Une voix m'avait arrêté net dans l'escalier. Je m'étais penché sur la rampe : au fond de la cage sombre, une paire d'yeux fouineurs attendait ma réponse.

« Madame Letourneur.

— Dernier à gauche, dans le renfoncement. »

Il avait fallu que je frappe et que l'on m'ouvre pour que la concierge consente à refermer la porte de sa loge. Le tremblement des vitres s'était répercuté jusqu'au quatrième.

De son œil ouvert la mère de Blanchette me regardait, ahurie. Elle frottait l'autre, bâillait, ramenait les pans de sa robe de chambre sur ses jambes nues, croisait le col châle sur sa poitrine, bâillait, fixait à présent sur moi deux yeux ronds. Ce n'était pas à moi qu'elle avait pensé ouvrir sa porte de si bon matin. Ça se voyait. Je la trouvais bien changée.

« Je vous ai réveillée...

— Oh, ça ne fait rien, on dort, on ne dort pas. Je l'ai attendu toute la nuit, et j'ai cru que c'était lui. Mais reste pas dehors, entre. Maintenant que je suis réveillée, on va l'attendre ensemble. »

Je pénétrai à sa suite dans le logement où j'avais

vécu autrefois. Je retrouvais tout. L'évier près de la fenêtre, le tuyau obscur de la cour intérieure, l'odeur de pourriture qui montait des poubelles du boucher, l'exiguïté des lieux, que le tic-tac du réveille-matin emplissait. L'empreinte stagnante de la misère. Je regardai le lit de Blanchette, un matelas jeté sur le sol, entre le buffet et le mur. Une couche tout en désordre, débordant de bandes dessinées, de romans policiers, circonscrite par des bocaux remplis de mégots et, au mur, comme unis dans l'ironie suprême, les photos de Marilyn Monroe et de Che Guevara : ses idoles. J'avais envie de quitter cette pièce où mon passé heureux se confondait amèrement avec le présent de Blanchette. Mais déjà sa mère s'activait autour du réchaud, et l'eau faisait entendre son frissonnement familier.

« Il rentre toujours, tu sais, pas toujours comme il est sorti, mais il rentre... Des fois, je me dis que c'est l'odeur du café qui l'attire... D'autres, que c'est parce qu'il ne veut pas que je me tourmente trop... Tu découches, toi ?

— J'ai la cave.

— C'est vrai, lui faudrait un endroit à lui... ça viendra. »

Un gémissement filtra de derrière la porte qui ouvrait sur la chambre.

« Ne vous mettez pas en peine pour moi, avais-je alors dit subitement, j'ai déjà bu beaucoup de café ce matin — trop même. »

Elle se tourna nonchalamment vers moi et, avec un sourire qui lui rendit vingt ans, me dit :

« Fais comme si c'était demain, on ne sait pas de quoi demain est fait. »

Puis elle ajouta, pour me montrer que le gémissement qui avait provoqué ma gêne ne lui avait pas échappé :

« C'est une occasion, rien qu'une occasion. Faut bien vivre, tu comprends ? Te frappe pas, il comprend aussi... Pardi, m'a bien fallu l'élever. »

Nous bûmes le café, assis à la table près de la fenêtre où les pigeons, agglutinés sur le rebord, roucoulaient à pleine gorge. « Tout se débine ici, même la chaleur : ils en profitent... » Pour éviter que nos regards ne se croisent nous nous intéressions aux oiseaux. Derrière la porte close, l'occasion réveillée geignait, maugréait, appelait, donnait libre cours aux multiples bruits de son corps délaissé. Cet homme n'était-il point le maître, pour une fois, à bord de ce rafiot démâté ? Je posai mon bol de café sur l'évier et pris rapidement congé. Sur le palier, la mère de Blanchette me saisit par la manche :

« C'est vrai, ça, que tu ne sors plus avec lui le soir ? me demanda-t-elle.

— C'est vrai, lui répondis-je.

— Dommage, parce qu'il jure que par toi... »

Je m'arrachais sans brusquerie à son étreinte mais sa voix me poursuivit dans l'escalier :

« Repasse sur le coup de midi. A midi y sera
là. Si c'est pas l'odeur du café qui l'attire, c'est
celle du frichti, vers midi... Dis donc, tu pourrais
me remonter un pain, pas trop cuit, tu le fais
marquer. Tu dis que c'est pour moi. Ça m'évitera
de descendre. Si ça te dit, tu pourras manger un
bout avec nous... »

Je ne la voyais pas, mais je sentais attachée à
mon dos la paire d'yeux fouineurs, certain que, si
je m'étais retourné, j'aurais aperçu les tifs de la
concierge dépassant du rideau.

Soit c'était l'air vif, soit un début d'indigestion
dû à l'absorption d'une trop grande quantité de
nourriture après une période de jeûne, soit le café
de la mère de Blanchette qui, dès la première gorgée
m'avait fait l'effet d'une dose d'amphétamine, soit
le tout combiné, n'empêche que je tremblais comme
une feuille et que, s'il n'avait pas gelé, je me serais
couché par terre. Une loque ! Mais pourquoi fallait-
il aussi que malheur fût au rendez-vous ? Avec sa
gueule à coucher dehors. Dehors, justement, il
n'aurait pas pu y rester, et prendre froid et crever ?
Pensez donc, il est bien trop roué ! Mariole, il
s'infiltre chez vous avec armes et bagages. Et,
comme il est mal éduqué, s'incruste, prend racine,
pousse bientôt, fait des bourgeons, fleurit puis
s'épanouit, putride. Frappe ! Maintenant que je

l'avais vu à l'œuvre, dans le lieu où il lui plaisait de séjourner, je comprenais mieux les propos de mon copain.

« Blanchette...

— Ouais. »

C'était une aube encore, après que nous avions fouillé la nuit ensemble.

— Tu traînes la patte ?

— Tu rigoles, ou quoi ?

— Alors marche à côté de moi. T'as honte parce que je suis plus blanc que toi ?

— Enlève ton masque, on t'a reconnu !

— Sans blague, radine, j'ai l'impression d'être filoché.

— T'es pas sérieux ?

— Mais si.

— Tu crois que ça fait ça à tout le monde ?

— Un peu !

— A ma mère ? Tu crois que ma mère elle avait l'impression d'être filochée quand je marchais derrière elle ? Moi je crois le contraire. Je crois qu'elle se sentait libre. Marche derrière, qu'elle disait, sois pas toujours là collé à mes jupes. Pardi ! Elle voulait pas louper une occasion. Et les occasions, c'est pas ce qui manquait. Les chiens sont pas pires. Je me rappelle pas d'un seul dimanche où on soit pas retournés à la maison à trois. Moi, toujours derrière, à bonne distance ! Bien dressé. Quand elle remontait l'escalier avec son occasion au bras, pour faire légitime, moi je restais en bas. Je jouais à bloquer les crachats. Glaviotaient presque tous avant d'aller tirer leur coup. Avaient besoin de s'éclaircir les couilles ! Et moi, je t'avoue que j'ai souhaité plus d'une fois qu'un de ses types de passage l'étrangle. Parce que j'en pouvais plus d'attendre. »

Autour de trois heures de l'après-midi, le même jour. Blanchette ne participera pas. Ne participera plus à rien. Il est mort. On l'a retrouvé dans une pissotière, lardé de coups de couteau. L'insigne, qu'il portait riveté sur la manche gauche de son blouson, dans la bouche. C'est ce que la police a rapporté à sa mère. De la douleur de cette femme, rien à dire : elle est totale. Je l'ai quittée il y a une heure à peine, effarée, le visage tout blanc, plâtré de savon — elle devait être en train de se débarbouiller quand les flics ont frappé. Larmes, larmes, et pas une chimère pour endiguer leur flot. Nul espace, nul où débonder un cœur désormais à jamais trop gros.

Il est un poème qui a pour titre *Die Hölle*. L'Enfer. Il a été écrit par un poète du nom de Andréas Gryphius, au seizième siècle. Le livre qui le contient, je l'ai trouvé dans une poubelle : une

vraie source de richesse, les poubelles, pour qui sait
bien les fouiller.

Aïe et ouille !
Meurtre ! Appel ! Plainte, angoisse, croix, martyre,
ver et plaies !
Poix ! Tourment ! Bourreau ! Flamme ! Miasme !
Esprits ! Froid ! Effroi !
Ah, assez !
Haut et bas !
Mer ! Colline ! Monts ! Rocher ! Qui supporte la
peine ?
Avale abîme ! Avale ! Qui à jamais lamente ?
Jours, toujours !
Terribles esprits des sombres cavernes, vous qui souffrez
et qui faites souffrir,
Le feu de l'éternelle éternité ne pourra-t-il jamais
expier vos crimes ?
O cruelle angoisse, mourir sans mourir !
Ceci est la flamme de l'âpre vengeance que la colère
échauffée attisa :
Ici les maudits, leur peine éternelle, ici la fureur qui
toujours s'accroît :
Homme ! Péris pour ne pas dépérir.

Ce sera mon épitaphe à Blanchette, je lui ferai
graver ces mots sur un beau marbre sombre, en
minces lettres d'or, si le coup réussit, et, s'il ne

réussit pas, je lui placarderai la page sur sa croix, puisque, tout comme l'ancienne concierge du 9 de l'allée Marie-Louise, sa mère croyait en Dieu !

Boule d'Or marchait au côté de Dupuis dans la ruelle derrière la supérette. Une petite neige fondante glissait sur le cuir de son blouson, elle ne savait pas encore et j'enviais la légèreté de son pas. De temps à autre, Dupuis se rapprochait d'elle, cherchant à l'abriter sous son large parapluie noir qui me rappelait celui que je portais quand j'étais groom ; mais elle repoussait ses invites, sous quel prétexte je l'ignorais. J'étais trop éloigné d'eux pour entendre ce qu'ils se disaient. Peut-être ne se disaient-ils rien. Peut-être n'avaient-ils pas l'habitude de parler ensemble, ni de marcher ensemble ! Peut-être était-ce la première fois qu'ils cheminaient côte à côte dans la ruelle sombre qui longeait les bâtiments désolés d'une gare de marchandises désaffectée ? Que savais-je de leurs habitudes ? A moi, jamais un mot de ses manigances ; elle m'en excluait. Toujours, j'étais mis devant le fait accompli.

Elle avait fini par accepter son abri. Ils allaient maintenant tout proches l'un de l'autre mais sans se toucher, comme vont les couples adultères dans les zones où ils courent le risque d'être reconnus. Comme Blanchette l'avait fait la nuit du lapereau, je m'étais déchaussé, et rapproché d'eux à pas de loup. Je voulais entendre, savoir de quoi il retournait au juste. Et Blanchette me poussait aux fesses.

« Vas-y, disait-il, t'as le trac ou quoi ? Reste pas derrière, fais pas comme moi. Ça paye pas. Vas-y, frangin, réduis-lui la tête à ce mec qui veut se faire ta gonzesse ! T'as pas compris ou quoi ? T'as pourtant pas de la merde dans les yeux, toi ! C'est parce qu'il existe des types comme lui que je suis mort. Des types qui parlent mal, qui disent : nègre, au lieu de dire : martiniquais — ou africain du moins, s'ils ignorent que la Martinique est un pays. Qui disent : bon à rien, fainéant, bandit, vaurien, au lieu de dire : chômeur. Qui disent : putains, gargouilles à bite, chiennes ! des femmes qui leur font l'honneur de leur corps, parce qu'elles peuvent pas faire autrement, parce que, beau temps, mauvais temps, un mois n'a jamais plus de trente et un jours et qu'à son terme il faut casquer les échéances. Des abrutis dont une telle couche de crasse enrobe la cervelle que c'est à désespérer de les en débarrasser un jour. Des porcs qui utilisent les mots comme leurs mouchoirs, pour les souiller ! Et puis, tu veux que je te dise encore ? en supposant qu'on retrouve mon assassin, ou mes assassins, j'ai pas eu le temps de voir : une douleur fulgurante aux reins m'a déconnecté en moins de deux, d'avec les mortels. Vrai, j'ai pas souffert, sois tranquille. Vite sorti, comme disait ma mère, et vite retourné, je te l'assure. Rien compris. Sinon que... Mais je ne vais

pas t'emmouscailler à parler du passé. Nous, les
jeunes, c'est l'avenir qui nous intéresse — plein de
promesses ! Alors supposons qu'on retrouve le ou
les individus qui m'ont scionné. J'entends l'avocat
de la défense, même là où je suis ses grossièretés
me parviennent. D'abord, il parlera des chats que
j'ai maltraités, dans mon enfance, les dénombrera
en faisant de beaux effets de manche. Dira que mon
non-respect de la vie d'autrui date de là.

"Minute ! criera quelqu'un dans l'assistance,
c'est de la victime que vous êtes en train de
parler là !" "Silence, ou on fait évacuer la salle !"
"Justement, la victime était un dévoyé ! Doublé
d'un détraqué sexuel !" "Silence !" "Sinon, pourquoi aurait-elle passé ses nuits à rôder autour des
vespasiennes et des bars interlopes ?" Mettra sur le
tapis la misérable existence de ma mère, qu'il taxera
d'équivoque, pour ne pas la traiter publiquement
de putain. Et puis, personne ne le dira, pourtant ça
s'entendra, ça emplira la salle d'audience : "C'était
qu'un nègre..." Un de plus, un de moins, quelle
importance ? Les nègres, les putains, les pigeons,
les gousses, les vieux, les tantes, les gosses qui ne
sont pas chaussés de souliers montants bleu marine,
les renards porteurs de rage, l'ouvrier que la
manipulation de produits toxiques a rongé de
l'intérieur, celui que la machine a amputé, les fous
comme Garbier — qui, craignant de perdre sa
femme, préférait la voir morte —, tout ça c'est

pareil : des rognures ! Les rognures, de nos jours, on les donne même plus aux chiens ni aux chats. On n'en veut pas. On ne veut que des morceaux de choix ! Je veux la tête de personne, frangin, loin de là, tu le sais bien. Puis, de toi à moi, une tête d'homme séparée de son corps, y a-t-il spectacle plus ragoûtant ? Sans compter qu'une tête tombée fait rejaillir l'indignité sur la société qui l'a condamnée. Encore que la nôtre n'en a cure, puisqu'il y a beau temps qu'elle s'y est acclimatée...

Ce que je veux, ben non, au fond c'est pas que tu te fasses Dupuis, on a assez d'emmerdes pour l'heure. Ce que je veux, enfin quoi ce qui m'aurait botté, c'est d'avoir vécu dans un monde différent de celui où j'ai passé vingt-deux ans. Un monde pas déguenillé, tu vois. Un monde qui aurait eu un peu d'élégance, celle du langage au moins. Un monde où les mots auraient retrouvé leur résonance pure, tu me suis ? C'est peut-être pour ça qu'il faut que tu mobilises tes forces, frangin. Pour lutter contre les utilisateurs de mouchoirs. Et si tu te sens seul, si t'entends les autres dire que tu te bats pour rien, que le temps des beaux idéaux est révolu, réponds-leur qu'il a commencé avec l'aube, que chaque aube qui se lève est porteuse d'espoir, et qu'il en est ainsi depuis que le monde est monde. »

Boule d'Or prêtait ses joues aux lèvres de

Dupuis. Ils se séparaient à l'approche d'une artère éclairée. Je m'étais caché derrière un conteneur : il y en avait de nombreux le long de ce tronçon de la voie ferrée, remplis de gravats, de vieux métaux. Certains même servaient de décharge publique. Je m'y étais souvent approvisionné en matériaux divers. Un jour, coup de chance, j'y avais même trouvé une prothèse oculaire ! Un autre, un baigneur en celluloïd, le bas du ventre piqué d'épingles à tête. Le brasero ! C'est là où j'avais trouvé le brasero providentiel. Et puis la masse que j'avais si long-temps cherchée dans la cave, et dont Boule d'Or, involontairement — encore que... — m'avait parlé, cette nuit même qu'elle avait pris le chemin de l'infirmerie de la supérette. J'aimais pas ça. Elle remontait la ruelle en sifflotant. Je ne m'étais pas trompé, elle ignorait encore. Bientôt, elle fut à la hauteur de ma cachette et l'ironie voulut que ce soit là justement où Dupuis la rejoignit.

« Encore une bise, disait-il, mieux que ça, allons, donne-moi ton bec. Je te dégoûte pas quand même ? Sans la langue, je te jure que je la sortirai pas.

— Ça va, disait Boule d'Or, rentre que tu vas être en retard pour la soupe.

— Ça te plaît de m'humilier, hein, diablesse. Tu veux que je me mette à genoux, dis-le, c'est ça que tu veux. Ben dis-le, dis-le et je le fais.

— Pense à ton pantalon.

— Justement, touche là, touche la grosse surprise que j'ai pour toi dedans. Allez, fais pas de manières, t'as bien les mains qui glissent ailleurs. Tu crois que je ne sais pas que tu chipes ? Mais tu peux chiper tout ce que tu veux, même dans la caisse, ce que tu ne te gênes pas de faire. Je ne te dénoncerai pas. Seulement faut pas prendre Clément Dupuis trop longtemps pour un pigeon. Tu comprends. Tu m'as allumé, va falloir que tu m'éteignes sinon...

— Sinon quoi ?

— Je t'offrirai un petit séjour en prison », répondait tranquillement Dupuis.

Je serrais les poings. « Mobilise tes forces pour lutter contre les utilisateurs de mouchoirs. » Justement, j'en tenais un, un de première ! Un vrai beau spécimen. Et ça me démangeait de le cogner, de lui faire ravaler ses paroles, d'écacher sa sale bouche à coups de poing et de pied, enfin de lui broyer les pendantes, comme je l'avais fait le matin avec les noix les plus tendres. Hélas ! Boule d'Or l'avait dit, elle ne voulait pas de garde du corps, pas être fliquée. Puis y avait le blé au bout... Mais en voilà un qui ne perdait rien pour attendre. Le moment venu, j'allais le moucher à ma façon !

« Combien de temps tu vas me faire marcher comme ça ? Dis, cochonne ?

— Je t'ai déjà dit le 24.

— Un petit acompte en attendant, allez fais-m'en une vite, là, une que personne verra...

— Non mais, pour qui tu me prends ?

— Pour ce que t'es !

— Pauvre mec, a dit Boule d'Or, je préférerais crever que de baiser avec toi.

— Si tu changes d'avis, fais-le-moi savoir rapidement, a dit Dupuis, avant que l'envie me prenne de décrocher le téléphone... »

Boule d'Or ne sifflait plus. Je l'ai laissée prendre un peu d'avance, puis je l'ai rejointe aux abords de la supérette.

« Toi, parmi les minus : quel honneur ! Et d'où tu sors comme ça ? a-t-elle dit, en me toisant d'un air sarcastique.

— Ils ont eu Blanchette.

— Eu ?

— On l'a retrouvé ce matin, planté dans une tasse.

— Ah, non ! »

C'est tout ce qu'elle a dit. Puis son visage s'est fermé. On a marché dans la direction d'un café où nous savions trouver Poil Dur à l'heure qu'il était. Boule d'Or a cogné au carreau. Il s'est retourné aussitôt, comme s'il nous attendait. Il savait déjà, ça se voyait. Il avait sa muflée et les yeux tout gonflés.

Tous les trois sous la neige qui maintenant s'épaississait, on a pris la route de ma retraite.

« Qu'est-ce qu'on va faire ? disait Poil Dur en reniflant. Qu'est-ce qu'on va faire sans lui ? On n'est plus que comme un chien qui aurait que trois pattes. Un chien à trois pattes, ça se remarque. Qu'est-ce qu'on va faire sans lui ?

— Oh ! la ferme ! a dit Boule d'Or, tu dégoulines. »

Mais Poil Dur continuait.

« Qu'est-ce qu'on va faire, répétait-il, qu'est-ce qu'on va faire sans lui ?

— On va l'inclure, ai-je dit, on donnera sa part à sa mère. Ça coûte des sous un enterrement. »

C'est à ce moment-là que Boule d'Or a pris mon bras, et que j'ai vu qu'il n'y avait pas que la neige qui glissait sur le cuir de son blouson. Je les enviais en quelque sorte de pouvoir pleurer. Moi, j'en étais incapable. Les îlots d'inquiétude disséminés se resserraient autour de mes tempes, formant étau : rien ne passait. J'avais comme une boule de feu dans la tête, qui tournoyait sans trêve, attisée par les échardes incandescentes de ma pensée — laquelle, ne parvenant à se fixer sur rien, s'érigeait en tous sens, forçait les cloisons de mon crâne où les paroles de la mère de Blanchette résonnaient en de longues et douloureuses percussions.

« C'est vrai, ça, que tu ne sors plus avec lui le soir ? Dommage, parce qu'il ne jure que par toi. Il rentre toujours, tu sais, pas toujours comme il est

sorti, mais il rentre. Repasse sur le coup de midi.
A midi y sera là.

— Qu'est-ce que tu tortilles derrière la porte ?
disait l'occasion, j'ai pas pris ma matinée pour rien,
moi ! »

Je savais qu'à peine la porte refermée sur moi,
elle était retournée se coucher. S'était prêtée, avait
donné d'elle-même encore, alors que les flics rou-
laient vers son logis.

Je savais aussi qu'elle m'avait invité à boire le
café plus pour gagner du temps que pour autre
chose. Quelques minutes, quelques toutes petites
minutes durant lesquelles elle n'aurait pas à supporter contre le sien un corps qui lui répugnait.

Je savais qu'au moment où la lame avait pénétré
la chair de son fils, une autre lame la pénétrait elle-
même, sans égard, violemment.

Je savais qu'en tombant Blanchette avait pensé
à sa mère, parce qu'il n'avait qu'elle au monde.

Je savais que lorsqu'en elle la lame allait trop
fort, elle aurait voulu qu'il soit là. Parce que sa
présence la protégeait de la brutalité des hommes.

Je savais que c'est pour ça qu'elle l'attendait
surtout, et non parce qu'elle l'aimait tant. Mais des
sentiments naissent de notre détresse, on les désigne
comme on peut, avec les mots qui nous sont
familiers.

Et je savais encore que Blanchette s'était battu
comme un fou avant de succomber. Je l'avais vu à

l'œuvre. Et puis, ne m'avait-il pas dit lui-même —
la nuit du Lapereau :

« Mais il existe d'autres espèces qui elles se
battent à mort, tels le coq et le paon, j'appartiens à
la leur... »

Je savais qu'il avait lutté, mon copain, fort et
longtemps, avant de se rendre. Oui, je savais tout
cela, et c'est pourquoi je ne pleurais pas. Trop de
chagrin, comprenez, trop de chagrin. Qui sait où
ça vous mène, quand un cœur trop lourd se
débonde ?

En rentrant, j'ai trouvé un dîner de posé sur
ma table : une cuisse de poulet froid, une salade de
pommes de terre, un morceau de fromage, une
demi-baguette, et une bouteille de vin bouchée,
accompagnée d'un mot de ma mère : « Si t'as besoin
d'autre chose, n'hésite pas à monter. » Instant
critique, car le moindre geste de sympathie était à
même de saper les défenses. Mais j'ai tenu bon.
Assis sur des bidons on a bu le vin au goulot, à
grandes lampées. La bouteille une fois vidée, on
était comme gelés, silencieux, tête basse, les mains
sur les genoux comme les vieux. On fixait l'espace
vide entre nos pieds. Poil Dur a craché dedans,
puis il s'est levé et avec la morgue que prête parfois
l'ivresse il a regardé dédaigneusement autour de lui,
avant de se diriger vers la potence où étaient

suspendus l'appareil photo et les masques. Il a donné une chiquenaude dans celui de chèvre.

« Si on m'avait dit que c'est toi qui allais rengracier ! »

L'allusion ne m'a pas échappé, mais j'ai passé outre. S'il y avait une chose dont je n'avais pas envie ce soir c'était bien de me rifler avec Poil Dur. Avec le reste du monde peut-être, mais pas avec lui. Son envie de chercher des crosses ne dominait pas, d'ailleurs, puisqu'il s'était mis à quatre pattes et qu'une jambe en l'air il tournait autour de la potence dont il reniflait la base comme un chien qui cherche l'endroit adéquat où uriner.

« Ça va, a dit Boule d'Or, on a compris !

— Quoi, qu'est-ce que c'est que vous avez compris ?

— Le chien à trois pattes, ça va.

— Non, ça va pas. Ça va pas du tout... »

Il était de nouveau debout et avait retrouvé son aplomb.

« L'idée, c'est de moi, non ? Si on s'en sort, ce sera grâce à qui ? A loimé. Et qui c'est qui va m'assister en cas de pétard, maintenant qu'il n'est plus là ? Qui ? »

C'était l'occasion ou jamais de me taire, mais j'ai fait le contraire. Je l'ai ouvert. J'ai dit :

« Moi.

— Toi le rat ! C'est vrai ça ? Copieusement et tout ?

— Et tout. Comme convenu, sept heures ici le soir du 24.

Sur ce nous nous sommes tapé dans la main.

Quand on a été seuls, Boule d'Or et moi, on s'est assis sur le bord du lit. Puis, comme il faisait un froid de gueux, ensemble on a fait un grand feu. On a brûlé tout ce qui traînait. Une sorte de grand ménage en somme. Le masque de Blanchette est parti en fumée. Boule d'Or m'a dit qu'elle était d'accord avec moi, sur tout. Plus doucement elle a ajouté qu'elle était fière d'être ma femme. J'avais envie de la questionner au sujet de la masse, ça me turlupinait. Mais le moment était mal choisi pour le faire. On s'est couchés sans allumer la lampe à pétrole, les traits ardents qui fusaient du foyer incendiaient toute la cave. Contre elle je retrouvais mon calme. On était bien l'un contre l'autre. On ne bougeait pas. On se tenait chaud. Serrés et unis comme jamais, on faisait rempart à une menace indistincte. Celle de la mort ? Allez savoir...

« Tu manges tes loups maintenant ! Dis, petite cochonne, tu manges tes loups ? On t'a pas appris que c'était pas beau de mettre les doigts dans son nez, hein ? Qu'est-ce qu'on t'a appris alors ? Réponds ! Et le père Noël qui te voit, qu'est-ce qu'il va penser, le père Noël, d'une petite cochonne qui se décroche les tableaux à table ? Tu crois qu'il va lui apporter des joujoux, toi, à une petite cochonne qui mange ses loups ? Moi, je crois pas, moi. Moi, je crois qu'il est trop occupé pour descendre chez les petits enfants mal élevés !

— Fous-lui la paix, Edwige ! Tu les as pas mangés, tes loups, toi, à son âge ? Moi je me rappelle t'avoir vue faire.

— Ça m'étonnerait, maman nous élevait autrement que ta femme n'élève ses enfants.

— Ça va, on se voit pas si souvent qu'on va se

chamailler justement aujourd'hui, quand tout le monde est content.

— Tout le monde ! C'est pour ça que ton grand daigne pas réveillonner avec nous ce soir ?

— Il a ses copains, sa vie.

— Ses copains, on a vu ! Et sa vie, parlons-en de sa vie ! Comment qu'elle va finir, sa vie ?

— Baisse, que sa mère pourrait t'entendre.

— Oh, j'ai rien à cacher, moi, ce que je te dis à toi, pareil je le dirais à ta femme. Entretenir un garçon de cet âge-là, c'est l'encourager au vice. Vous êtes responsables tous les deux, et sur ce point-là on est bien d'accord, Arnaud et moi !

— C'est une chance que j'existe, alors », ai-je dit, en pénétrant dans la salle à manger.

Ça a jeté un froid, c'est le moins qu'on puisse dire et tante Edwige, pour parer au malaise, après m'avoir gratifié d'un regard méprisant, s'est rabattue dans la cuisine. D'une voix de qui a la science infuse, j'ai déclaré à ma petite sœur que les loups en question étaient plein de vitamines et qu'elle pouvait les étaler sur sa tartine, si ça lui chantait.

Elle m'a adressé un petit sourire complice, puis a continué de croquer sa tartine à belles dents.

« Faut pas exagérer quand même, a dit mon père, vous allez l'embrouiller cette pauvre gamine. »

Du plat de la main il a rassemblé les miettes répandues sur la table et ce faisant il a ajouté :

« Ben, assieds-toi donc que t'as l'air d'être en visite. »

Je crois qu'il en avait un petit coup dans l'aile, un tout petit coup, mais suffisant pour que ça le mît en verve.

« J'étais juste monté dire bonsoir.

— Faut pas faire attention à ce que dit ta tante. Elle parle comme ça, mais dans le fond elle n'est pas méchante.

— Dans le fond, ça ne veut rien dire. Allez bonsoir, passez une bonne soirée.

— Attends, y a pas le feu... Tu vas réveillonner chez la petite blonde, là, comment vous l'appelez ? Boucle d'Or ?

— Boule d'Or.

— Alors, ça tient toujours votre histoire ?

— Ça tient. J'ai même l'intention de l'épouser.

— Ah, bon... »

J'allais prendre congé quand mon père s'est levé. D'un geste de la main, il m'a fait signe de ne pas bouger. Dans la crédence qui sert de fourre-tout, il a pris une bouteille de vin de noix que l'an passé l'oncle Louison nous avait rapportée du Cantal, puis deux verres à liqueur. Il a posé le tout sur la table et a demandé à ma petite sœur, qui ne perdait pas une parole de ce que nous disions, d'aller voir à la cuisine si sa mère n'avait pas besoin d'aide. Elle a fait la lippe, puis murmuré au bord des larmes que tante Edwige lui faisait peur.

« Dans ce cas, tu vas dans ta chambre », a dit mon père impatienté.

Le cœur gros, elle lui a répondu que sa sœur lui avait interdit d'entrer quand elle était en train de se préparer. Machinalement, mon père a regardé du côté du jardin. Non, il faisait trop froid. Tout était raide de givre, même les cordes de la balançoire.

« Alors, bouche-toi les oreilles », a-t-il ordonné.

Ce qu'elle a pris au pied de la lettre. Avec le reste de mie de sa tartine, elle a fait deux boulettes de grosseur égale qu'elle s'est sagement enfoncées dans les oreilles. Je me demandais bien quel secret mon père, qui ne parlait jamais, allait me faire partager. Et pour tout dire, l'imprévu de la situation me plaisait, excitait ma curiosité. C'est pourquoi je m'étais assis et avais accepté de boire en sa compagnie. Il a rempli les deux verres à ras bord, si bien qu'il nous a fallu nous pencher sur la table pour boire la première gorgée. A voir l'adresse avec laquelle il accomplissait ce geste, la pensée m'avait traversé que peut-être il buvait son coup en cachette. A l'insu de ma mère, qui se défiait de l'alcool sans être pour cela abstentionniste. Si elle buvait, c'était modérément, même aux grandes occasions. Jamais je ne l'avais vue ivre, ni éméchée. Mon père si, durant la période où le travail lui avait manqué. J'avais même craint qu'il ne sombre. Notre première gorgée avalée, il avait levé son verre. A son invite, j'avais levé le mien. Et nous avions trinqué en nous regardant dans les yeux. C'était rare !

De la cuisine, la voix haut perchée de tante Edwige était venue troubler ce précieux instant.

« Ma dernière trouvaille. Tu vas voir ça, pérorait-elle, un gadget formidable ! Un truc ! Un vrai robot, pense-toi, qui repasse tout seul ! Comme ça Arnaud a toujours des chemises fraîches quand on s'arrête, et à moi ça me laisse le temps de lire. Oh ! j'ai lu un truc formidable écrit par une Américaine, *Star malgré soi.* Mais tu ne lis pas toi ? »

« Alors comme ça tu vas te marier ? a dit mon père.

— J'y pense.

— Et elle ?

— J'y penserais pas si elle n'y pensait pas.

— La logique n'est pas tout.

— Elle y pense.

— Elle est belle.

— Oui.

— Ta mère aussi était belle plus jeune.

— Elle l'est encore.

— Non. Mais moi non plus, je ne suis plus beau. Ça se balance. »

Il a porté son verre à ses lèvres, puis il est resté un instant silencieux et pensif, tel que je me le rappelais jadis, regardant le journal télévisé.

« Tous les gars lui couraient après. Un vrai

prix de Diane ! Si j'avais été de tempérament jaloux, jamais je l'aurais mariée. Mais je ne l'étais pas. De plus elle ne faisait rien pour m'y rendre. C'est une nature fidèle. Une bonne nature, ta mère. Naturellement, comme chacun, elle a ses travers. Mais pour ce qui est de se tenir, elle se tient... »

Il a posé sa main sur mon épaule. Je ne sais trop pourquoi, ce contact m'a déplu. Sans doute y avait-il trop longtemps.

« Les cocus, tu le sais, sont toujours les derniers informés... »

Il a repris haleine. Ce qu'il s'apprêtait à dire semblait lui coûter un effort qu'il faisait contre son gré.

« Boule d'Or, elle se tient pas. On l'a vue traîner avec son patron le long de la voie ferrée. Traîner et se tenir comme une employée ne devrait pas. Si je te dis ça, c'est parce que j'aimerais pas que tu deviennes la risée du coin... C'est tout.

— J'aimerais pas que tu deviennes la risée du coin. C'est tout », a répété ma petite sœur.

Voilà six jours que Blanchette a été enterré. Ça m'a ôté le goût de tout. Puis ce soir, soudain, sans doute à cause de l'entretien que je viens d'avoir avec mon père, avant que Poil Dur n'arrive, j'ai eu envie de bavarder avec vous. De quoi, je n'en ai pas idée. De tout et de rien. Seulement aligner les mots, les uns après les autres. Occuper ma main, mon esprit, tenter du moins. Y a tant de choses qui me trottent dans la tête. Mais je ne vais pas tomber dans le filet de l'araignée, soyez tranquille, ni dans le piège de la jalousie. Quand je sais que demain tout sera fini. Ce soir même, dans une heure et demie à peine. Oublié, Dupuis ! Loin, les balades le long de la voie ferrée, les gestes que je ne veux pas imaginer, les paroles. Tout ça, largué de la mémoire. Aux oubliettes ! Une parenthèse, rien d'autre. Je ne m'interroge plus. Je ne veux plus m'interroger. J'ai chassé la question, comme une mouche de ma joue. Qu'elle aille pondre ses œufs ailleurs, où bon lui semble. Je me refuse désormais à toute fécondation, hormis celle à laquelle m'invitera Boule d'Or. C'est en elle que je veux me répandre, en elle me survivre. En elle, seule terre d'asile.

Ainsi qu'elle en avait exprimé le vœu à la sortie du cimetière, je n'ai pas cherché à la revoir. Nous nous sommes séparés devant la grande entrée, nous disant : Au 24 ! Et aussi qu'on s'aimait.

Oh ! la sale journée, le sale matin, la sale petite bruine qui tombait ! Nous n'étions pas nombreux et pourtant ça faisait du monde. Comme si le chagrin en dédoublant les êtres leur donnait plus d'intensité. J'ai compté que nous étions onze : la mère de Blanchette, la mienne, une fille qui pleurait à chaudes larmes et que je n'ai pas reconnue, trois copains, Mme Renée qui suit sans distinction tous les enterrements du voisinage — on se prépare comme on peut —, Boule d'Or, Poil Dur et moi. Et puis, à l'écart, un petit monsieur tout de noir vêtu, comme la mère du défunt, l'air inquiet, se retournant sans cesse. Sans doute une occasion de bonne volonté. Oh ! la poisseuse petite journée. Le trou béant comme une bouche morte, où l'on descend, descend, descend encore. Les mots mêlés de pleurs qu'on jette avec les fleurs, l'espoir qui pourrit à chaque pelletée et puis les lèvres noires de la terre qui se joignent, s'érigent impudiquement en un tertre grouillant. C'est fini, comme on y plante un arbre, on a planté la mort en terre. Ne reste qu'à attendre la venue du soleil, de la pluie, celle de l'oubli. Il pleut, il fait soleil, et l'oubli nous traverse sans s'arrêter en nous. La mort ne fructifie pas.

Mais il me faut me préparer, monsieur, ma forme d'heure me montre qu'il est temps. *Alea jacta est !*

Les sirènes se sont tues, enfin. Boule d'Or dort. Oh ! qu'elle dorme, qu'elle dorme, et surtout qu'on ne me la réveille pas. Car je sais que lorsqu'elle se réveillera elle portera son regard très loin, trop loin, bien au-delà de ce qu'il est ordinairement permis de voir. S'ils me la réveillent, ils le feront par maladresse bien sûr, sans mauvaise intention ; il n'empêche que le retour sera trop brutal. Le voyage se fera trop vite, comprenez, et cela peut avoir des effets désastreux.

C'est pourquoi je veille, pourquoi j'écris ; sinon, croyez-le, je plongerais volontiers avec elle dans un sommeil sans retour. Mais il me faut être là, prêt à saisir dans son regard l'instant fugitif où, après une trêve, il retourne à l'effroyable. Pour qu'elle voie simplement qu'elle n'est pas seule au monde, qu'il est quelqu'un prêt à la suivre dans son désert, quelqu'un qui sans elle n'est plus rien. Un homme qui, par contradiction, ne s'est jamais senti aussi vivant. Comme un enfant naissant, mélange de force et de fragilité suprême, je sens tout à présent. Tout me touche et m'atteint. La moindre vibration se répercute jusque dans le tréfonds de mon être et fait trembler mon cœur.

« Jouez hautbois, résonnez musettes », chante-t-on au-dessus de ma tête. Oui, il est né le divin enfant, il est là, sous vos pieds. Réjouissez-vous : comme l'autre il accomplira des miracles, multipliera les pains, marchera sur les eaux, rendra la parole à ceux qui en furent odieusement dépossédés, la donnera à ceux qui ne l'ont jamais prise, rendra au vieillard hésitant ses yeux d'enfant, à l'enfant la tendresse dont il fut privé, aux femmes et aux gueux leur dignité piétinée et à tous les hommes de bonne volonté leur fierté. Tout sera harmonie et douceur, un vent d'amour, une brise tiède venue du Pacifique soufflera sur le monde écorché, sous sa caresse les plaies se refermeront comme le font les fleurs à la tombée du jour. Nous ne craindrons plus l'heure entre chien et loup, tout sera doux, même sa clarté. Les îlots d'inquiétude, les charges qui nous courbaient l'échine, disséminées au vent léger. Les échardes de la pensée pourriront d'elles-mêmes, il ne sera plus besoin de s'escrimer à les ôter, elles tomberont de nos fronts en fête dans une terre généreuse ; leur pourriture fructifiera, donnera de beaux fruits, si gros et si juteux qu'il suffira d'un arbre pour qu'un peuple entier puisse s'y abreuver. Les mots retrouveront leur résonance pure. On ne dira plus : vaurien, fainéant, ou bon à rien, pour parler de celui qui était privé de travail. On dira : frère, sœur, pas vaurienne, pas faignasse, pas fille de rien. Frère, sœur, amis, nous quitterons un monde déguenillé pour aller nous asseoir au bord de la mer et regarder ensemble le soleil se lever derrière les brumes accumulées. Accablés de beauté nos yeux ne distingueront plus les couleurs.

Soyez tranquille, on n'a pas laissé de trace, tout est en ordre derrière nous. J'ai soigneusement effacé les empreintes sur la masse, puis méticuleusement curé les ongles du mort, pas une particule de la chair de Boule d'Or n'y demeure. J'ai pensé à l'eau d'abord. Pour tout effacer : ouvrir le robinet. Mais c'était hasardeux de s'en remettre à cette mécanique. Aussi ai-je opté pour le feu, plus sûr, plus immédiat dans son processus de destruction et ô combien plus spectaculaire ! Pensez qu'un paquet de coton imbibé d'alcool à 90° et une allumette ont suffi pour qu'en l'espace d'une seconde le lit se trouvât transformé en torche. Deux secondes, parole d'homme, pas davantage, pour que le lieu du viol fût nettoyé. Celui du carnage. Deux secondes et tout était propre. Il avait suffi pour cela de craquer une allumette.

Mais le feu s'étendait, gagnait, bientôt les flammes nous environnèrent de toutes parts. Croyez pas qu'on ait fui comme des rats à l'approche du danger : non, on a tout regardé, debout l'un près de l'autre, elle dans sa robe de fiancée déchirée et moi dans mon costume de réveillon, jusqu'à ce que nos yeux pénétrés de fumée et dégorgeant des larmes rejettent d'eux-mêmes les images ; jusqu'à ce que nous n'ayons de souffle qu'un mince filet ; jusqu'à ce que les flammes, nous léchant avec trop d'ardeur, nous tirent de la fascination où nous étions tombés ; jusqu'à ce que la peur de la mort ait raison de nous.

Alors seulement, nous avons fui, comme un jour ancien du jardin public. Vaguement on a aperçu Poil Dur, de loin, très loin, et très petit derrière un écran de fumée, vaguement entendu la stridence des premières sirènes, vaguement vu le ciel s'embraser. On courait, courait.

Elle voulait s'arrêter, se rendre, disait-elle, simplement pour ne plus avoir à courir. Elle est tombée. Je l'ai relevée, portée. On n'a plus fui. On a marché.

Comme les autres, ceux qui retournaient vers leurs foyers, les bras chargés de paquets, de sacs pleins de provisions, de sapins odorants. Et pour certains, la mine réjouie. Je la portais ; elle était légère dans mes bras, comme une plume. Sur mon épaule, abandonnée, sa tête d'oiseau ballottait. Elle ne disait pas : pourquoi es-tu venu si tard ? Elle se taisait et elle avait raison. L'oubli des masques dont je ne m'étais aperçu qu'une fois parvenu à destination, le retour vers la cave à toutes jambes, l'inévitable rencontre avec les Robeux — lesquels, quand je poussais la porte du jardin, poussaient d'un même élan les portières de leur voiture —, les embrassades, les questions, les enfants qui s'accrochent, les parents qui bousculent — effusions, sincères ou affectées qu'importe, cela ne nous concernait plus. Nous marchions désormais dans un monde dont nous étions bannis.

Pourtant, curieusement, la plupart de ceux qu'on croisait nous souriaient :

« Joyeux Noël, disaient-ils.

— De même », leur répondais-je.

Et ma voix résonnait à mes oreilles, étrangère et lointaine. « De même » comme « joyeux Noël » ne voulait plus rien dire. Au demeurant, ces mots pâlots avaient-ils jamais eu un sens ? Tout me permettait d'en douter.

Parvenu aux abords du pavillon, il m'avait fallu ralentir l'allure, marcher plus normalement encore que je ne le faisais déjà, la famille se trouvant réunie au complet en haut du perron, nez en l'air, les mains en visière sur les yeux, comme au passage d'une comète. Bien que j'en sois l'auteur, je tournais le dos au spectacle. Mais prend-on plaisir à contempler son œuvre, une fois celle-ci accomplie ? Pas moi, toujours. A moi, il suffisait qu'elle intéressât le public, ce qui semblait être le cas. Je l'en régalais, sans rien exiger en retour. Elle me dépassait, pour tout dire. Quand ils furent rassasiés, ils rentrèrent, et ne resta plus que les chiens pour s'émouvoir du spectacle de notre malheur. Ils aboient, aboient, ne cessent d'aboyer, de hurler à la mort. Les autres gesticulent, dansent, chantent, s'en donnent à cœur joie.

Mais vont-ils pousser l'indécence jusqu'à outrepasser la limite habituelle des réjouissances ? C'est vrai que les enfants ont grandi. L'oncle Louison ne m'a-t-il pas dit plus tôt quand j'ai embrassé une de mes cousines :

« Doucement, c'est que maintenant mademoiselle porte des cravates ! »

Ma tante Yolande l'a repris.

« Des cravates ! Tu te crois encore au Moyen Age ? Elle se met des tampons, hein, ma biche ? Comme maman. »

Des tampons ! Ça, il en aurait fallu pas mal pour éponger la plaie que Dupuis portait au front. Sale image. Mais le feu purifie tout, pas vrai ? Même les blessures les plus laides. Celles de Blanchette purifiées avec ! Pourtant on ne dira pas de moi que je suis un purificateur, mais bien un pyromane.

Ma mère pleurera toutes les larmes de son corps, ne sera plus qu'une pâte à souffrance. Et mon père qui voulait que je lui ressemble ! Mes sœurs. On jettera l'anathème sur cette gentille

famille et j'en serai le responsable. Fils maudit, que
n'as-tu vu le jour un matin de printemps ? Mais tu
paieras cher ton audace. Le champ de la douleur
pour toi vient de s'ouvrir. Tu es seul dedans,
irrémédiablement seul, perdu au carrefour des routes
qui ne mènent nulle part, sinon à l'égarement, et
tu trembles de toute ta fragilité d'homme, ramassé
sur toi-même tel un animal aux abois qui perçoit
derrière chaque bruissement de feuilles, chaque
craquement de branche, chaque froissement d'herbe,
le terrible reniflement du chien qui bientôt surgira
de derrière les taillis, bondira vers toi, te sautera à
la gorge, enfoncera ses crocs accelerando dans ta
chair, là, au niveau du cou, là où en d'autres temps
les baisers étaient doux. L'odeur du sang est
écœurante, celle de ton propre sang te fera vomir
de dégoût. Nous t'avions prévenu, que n'as-tu pas
entendu nos conseils, Fantin ? Que n'es-tu resté
tranquille parmi nous ? Pourquoi nous avoir préféré
les plaisirs futiles ?

Elle bouge, elle se réveille, et demande sans
sortir de sous les couvertures où elle s'est tout
entière enfouie :
  « Quelle heure est-il ? »
  Je réponds, elle se tait. Sa respiration emplit
toute la cave. Mais dort-elle vraiment ? Ou bien

fait-elle semblant depuis le début ? Je n'ose pas l'approcher, elle m'a demandé de la laisser.

« Laisse-moi récupérer », a-t-elle dit.

Mais récupérera-t-elle jamais ? L'expression si lointaine que je lui ai vue, plus tôt, quand j'ai pénétré dans l'infirmerie, ne sera-t-elle pas la sienne désormais ? Son tout petit visage de bête traquée et fermé comme un poing retrouvera-t-il jamais sa gaieté ? J'ai peur que non, peur que mon attente soit vaine, que le voyage se poursuive à l'infini, que j'en sois exclu pour toujours. Pourtant, je ne veux pas qu'ils me la prennent. Non, ils ne me la prendront pas ! Plutôt mourir que de lui voir infliger un nouvel outrage !

« Quelle heure est-il ? demande-t-elle.

— Minuit », je réponds.

Mais m'entend-elle ? Ou ma voix n'est-elle déjà plus qu'une voix anonyme, qui dans les méandres de son cerveau va decrescendo ? Tante Edwige et son assureur-conseil sont dans le jardin avec leur chienne, les propos qu'ils tiennent sont gouailleurs et sots. J'aime à penser qu'un jour de les entendre ne me sera plus imposé. Infime consolation, face à la vague de tourments qui me submerge, mais ne s'accroche-t-on pas à l'infiniment petit quand tout autour de soi le monde grince et verse ? Et n'est-ce pas de l'infiniment petit, après tout, que l'espoir peut renaître ? J'aimerais en parler à Boule d'Or. Mais en a-t-elle la notion ? Oui bien sûr, puisqu'elle aimait cette affiche représentant une peinture de Miró : *Femme devant le soleil*. La porte de la caravane a glissé, puis ça a fait clac, comme un chien de fusil qui frappe sur un grain de poudre.

Les chiens n'en finissent pas d'aboyer. Cela voudrait-il dire que ça brûle encore là-bas ? Qu'ils n'ont pas encore réussi à circonscrire l'incendie ? Pyromane. En tout cas, rien qu'avec ça mon compte est bon. La guerre est déclarée. Ce n'est pas moi qui l'ai déclarée. Pourtant je suis dedans. En première ligne. Il y en a qui en reviennent, pas comme ils sont partis, mais qui en reviennent. Il en est même que l'on décore et qui se voient gratifiés d'une bonne retraite. Y a ceux qui y restent, qui ne reviennent pas, qu'on ne retrouve pas. De ceux-là, on dédommage les veuves. A leurs mémoires, on dresse des monuments. Ci-gît le souvenir commun d'X...Y...Z... morts au champ d'honneur par inadvertance. A la place de la crosse de leur fusil, ils avaient autre chose dans la main, quelque chose de plus chaud, de plus doux, de plus familier, qu'à l'occasion ils caressaient dans le froid de leur solitude. Ce que l'homme est inconséquent après tout, même au feu il donne priorité au geste initial. Boule d'Or a-t-elle fait montre d'inconséquence en tuant Dupuis ou son acte était-il au contraire réfléchi ? La masse, à quelle fin me l'avait-elle dérobée ?

Mais suis-je fou ? Que vais-je penser là ? Bien

sûr qu'elle ne s'en serait jamais servie si la nécessité
ne s'en était pas imposée ! Elle s'est défendue, la
preuve : sa robe, ses bas déchirés, sa chaîne arrachée,
sa gorge labourée de coups de griffe et sa queue
d'épimaque superbe réduite à une maigre mèche.
Mais en revanche, par quel subterfuge a-t-elle réussi
à convaincre Dupuis de se mettre à genoux ? Car
je n'ai pas rêvé, quand j'ai fait irruption dans
l'infirmerie, ridiculement masqué et armé d'un
appareil photographique, c'est bien dans la position
d'un homme qui se trouvait agenouillé au moment
où il fut frappé que je l'ai trouvé, le buste basculé
en avant, la tête entre les avant-bras, les paumes
des mains ouvertes, tournées vers l'extérieur :
foudroyé aux pieds de Boule d'Or, laquelle se tenait
assise au bord du lit, la masse dont elle serrait
encore le manche reposée en travers des cuisses.
Repentant, son méfait accompli, s'est-il agenouillé
pour quêter son pardon, celui de Dieu ? A-t-il fermé
les yeux afin qu'elle ne mît pas en doute sa ferveur ?
Etait-il en train de prier quand elle a avisé la masse,
ou bien ne l'avait-elle point quittée des yeux,
n'attendant que l'instant où elle pourrait s'en
emparer et ainsi armée réduire son bourreau à
l'immobilité ? Me dira-t-elle ? Ou gardera-t-elle le
secret des terribles minutes où j'aurais dû être
auprès d'elle ? Quoi qu'il en soit, ensemble, nous
avons atteint un sommet d'où il va nous falloir
redescendre. Comment ? De tous côtés, les pentes

sont d'une raideur extrême. On a quelques heures devant nous. Quelques heures, pas plus, le temps qu'ils s'y retrouvent dans les décombres. Et après, la chasse commencera : la chasse à l'homme. Une poignée d'heures pour nous organiser, mais à quoi ?

« Quelle heure est-il ? » demande-t-elle.

Je réponds :

« Autour de deux heures. »

Elle se tait, mais sa respiration n'emplit plus la cave, on dirait qu'elle la retient... Sous les couvertures, la bosse de son corps se contracte, et les lueurs fuligineuses qui l'éclairent accroissent encore sa petitesse. Réduite à une menue boule de chair transie, elle grince des dents maintenant. Je me lève. Mais elle crie :

« N'approche pas ! »

J'obéis, me rassois et attends. Impuissant, j'assiste à l'invasion du temps et il me semble que sous mes yeux, le volume de son corps se réduit cruellement. Dehors, l'oncle Louison rote bruyamment. Sa femme lui dit qu'il va réveiller les voisins. Il répond qu'il s'en bat les couilles, puis il rote de nouveau. La porte de la caravane a claqué. Les chiens, à présent, n'aboient plus que de loin en loin. Là-haut ne reste de convives que Mme Renée et son pseudo-neveu, passés pour prendre le café. Je voudrais qu'ils quittent l'endroit, que la nuit reprenne ses droits, que tout le monde se couche et dorme, les chiens y compris.

Je voudrais m'étendre auprès de Boule d'Or et attendre dans sa chaleur qu'ils viennent frapper à la porte. Je voudrais entendre son chant, quand sous mes doigts frémit sa peau soyeuse et tiède.

Je voudrais lisser de mes lèvres sa queue d'épimaque superbe, voir ses épaules fendre le flot, son front uni creuser la vague, le contempler lorsqu'il en ressort perlé, ouvrir mes yeux à ses yeux sombres, tout grands pour qu'elle me rejoigne au fond.

Je voudrais une fois, la dernière, qu'on se tienne encore au sommet du monde enlacés, et que notre extase, l'ultime, nous régale une fois encore du spectacle de l'amour fou.

Je voudrais pouvoir modeler de mes lèvres les mots qui rassurent et apaisent, lui dire dans une langue à nous : tout est tuable, hormis l'espoir. Bercer en elle l'enfant blessé, de qui elle dit qu'il ne lui reste que les cris étouffés et l'image d'un bâillon sur la bouche, serré si fort que le sang lui gicle du nez, baigne les mains qui cherchent à le dénouer. Trouver les mots propres à la persuader qu'il n'est jamais trop tard, que nous viendrons à bout des nœuds. Et que, quand ce sera fait, qu'ensemble nous aurons libéré l'enfant, que nous lui aurons rendu la parole, nous nous coucherons près de lui, de nos deux corps ferons rempart au sien, lécherons, caresserons ses petits membres engourdis, du bout des lèvres baiserons ses mains menues, qui sous l'effet de la chaleur s'ouvriront comme des fleurs, et quand il sourira, seulement quand un sourire entrouvrira ses lèvres, alors je le porterai à son sein, généreux et superbe, pour qu'il tète à la vie. Quand, repu de plaisir, il refermera ses paupières diaphanes sur l'endroit même des délices, alors je la renverserai doucement sur le dos, doucement lui ouvrirai les jambes, doucement soulèverai de son corps consentant celui de l'enfant pour le replacer avec d'infinies précautions dans son lieu d'élection. Alors, la paix qui l'avait désertée remontera en elle.

Enfin, les voilà qui s'en vont, les derniers invités, les marches pour eux, semble-t-il, sont plus difficiles à descendre qu'à monter.

« Tiens-moi le bras, lui dit-elle, n'aie pas honte, il fait noir. »

La porte à peine refermée, ils s'invectivent, se mangent le nez. Elle l'accuse de ne pas avoir quitté des yeux ma tante Yolande de la soirée. Il se défend maladroitement, jure les grands dieux que ce n'est pas vrai — qu'elle se monte le cou, et qu'à son habitude elle voit des rats partout. Elle lui demande de mesurer ses paroles. Il lui répond que la seule chose qu'il soit capable de mesurer, c'est l'erreur qu'il a faite, en se mettant en ménage avec elle. Elle dit que sa valise sera vite faite.

« Très bien, dit-il, au fond j'en avais marre du faisandé ! »

Ils s'injurient, se conspuent au visage. Attendront d'être rentrés pour en venir aux mains. Un reste de dignité les retient de ne pas s'empoigner là, sous les fenêtres de leurs voisins, ce qui ne serait pas convenable la nuit de Noël — encore que, si cela ne tenait qu'à elle... mais lui l'entraîne. Enfin, ils s'éloignent en braillant.

Le corps de Boule d'Or oscille à présent, on dirait qu'elle se berce.

« Quelle heure est-il ? demande-t-elle.

— Un peu plus de deux heures, dis-je.

— Exactement, quelle heure est-il ? »

Je regarde ma forme d'heure.

« Deux heures trente-cinq.

— Sylvain, non, ne bouge pas, reste où tu es... Y a rien après la mort ?

— Rien.

— Pas de bruit ?

— Pas le moindre.

— Pas une odeur qui rappelle ?

— Rien.

— Une voix, une impression ?

— Rien.

— T'es sûr ?

— Oui.

— Comme ça tout est tranquille ?

— C'est ça.

— Je ne voulais pas sa paix, non je ne la voulais pas... on ne veut pas la paix de quelqu'un que l'on hait. »

Je me suis levé, et comme elle ne s'est pas opposée à mon geste, prudemment je me suis approché du lit. J'ai posé la main sur la boule de son corps durci, parcourue de frissons et de tressautements, et j'ai prononcé à mi-voix les mots qui m'étranglaient, les mots qui, qu'elle le veuille ou non, allaient nous unir pour toute la vie. J'ai dit :

« Je ne les laisserai pas te prendre. »

Son être entier a tressailli. Elle a dit :

« Faut pas t'en faire, on ne coupe pas la tête aux fous.

— Mais tu n'es pas folle et de plus bientôt on ne guillotinera plus ici. »

Un formidable grognement s'est échappé de sous les couvertures.

« Pas à moi ! Pas toi, toi que j'ai toujours entendu dire que l'homme avait le visage de la barbarie ! ... J'ai eu du mal à me faire à cette idée, plus qu'il ne paraît. Mais t'as raison, il n'est pas bon... Et c'est moi qu'on accusera de toute la violence du monde. Ils diront que j'ai tué de sang-froid. Et quoi d'autre encore ? »

Je caressais la boule de son corps que peu à peu la parole dénouait, sous mes doigts il retrouvait son volume, sa souplesse, sa forme initiale.

« Et quoi d'autre encore ? » répétait Boule d'Or.

Je savais. Je sais, disaient mes mains : dénombreront les chats que tu as maltraités dans ton enfance, comme si eux-mêmes n'avaient jamais cédé au plaisir de voir s'enfuir un matou sous une pluie de cailloux, ne s'étaient pas réjouis de ses feulements en le voyant sauter du mur. Diront que ton non-respect de la vie d'autrui date de là. Jamais ne feront mention du renard que tu as sauvé ! Mais comment le pourraient-ils ? Puisqu'ils ne le sauront pas. Que tu ne leur diras pas. Comme personne ne t'a vue le faire, personne ne viendra raconter à la barre qu'un jour tu as sauvé un renard. Tant mieux, car cette histoire ne regarde que la bête et toi. Un secret entre vous auquel, d'ailleurs, les hommes tels que je les connais ne comprendraient rien. Ils ne s'imaginent pas qu'avant de se laisser approcher, un renard pris au piège puisse pendant des heures regarder une femme dans les yeux et l'écouter parler ; cela dépasse leur entendement. Ils préfèrent s'en tenir aux faits tangibles, c'est plus commode. User de ce qu'ils nomment la réalité objective. Mais que feront-ils de l'objectivité quand ils parleront de ta mère, par exemple ?

Morte du foie. N'est-ce point assez clair, dit par eux ? Non, il leur faudra ajouter : qu'elle buvait du Ricard pur, de l'alcool à brûler au goulot quand il n'y avait rien d'autre. Qu'il n'était pas une aube qu'elle ne souillât de ses vomissures. Une pocharde !

Et ton père ? Quand, pour la dernière fois, lui avait-on vu les mains occupées à autre chose qu'à tenir des cartes ? Un tire-au-flanc qui ne crachait pas sur la bouteille non plus !

Et ton frère ? Bien connu des services de police. Nombre de crimes à son actif : vol de roues de voitures, vol de voitures, vol à la tire, bagarre, irrévérence en face la force de l'ordre, et pour finir outrage aux bonnes mœurs. Ne s'était-il point en effet déculotté devant un couple de retraités qui l'accusait d'être jeune ?

Et tes fréquentations ? D'autant plus douteuses qu'elles comptaient un nègre. Et lequel ! On rouvrira le dossier Blanchette. Et ton ami ? Ton ami, qu'ils diront, les utilisateurs de mouchoirs. Un instable, licencié de son premier emploi à l'âge de dix-sept ans, pour des raisons obscures. Depuis, activités vagues. Un jour manutentionnaire, le lendemain peintre en bâtiment, le surlendemain barman, etc. Colleur d'affiches à l'occasion, distributeur de prospectus et autres tracts. Un genre de chiffonnier, qui vit dans une cave sans confort. Si c'est pas louche ça ? Et de toi, que diront-ils encore, bien que tu aies toujours travaillé, que tu te sois toujours bien tenue, sinon de vilains mots ? Des mots qui défigurent la vérité. Mais ça je ne le tolérerai pas.

« Boule, écoute-moi... Boule, tu m'entends ?

— Oui.

— Montre-le-moi. »

Elle est sortie de sous les couvertures. J'ai vu dans son regard qu'il n'y avait pas eu de trêve. Elle était demeurée dans l'effroyable. Ses grands yeux couleur d'obsidienne me fixaient, effarés.

« Je ne veux pas te perdre. »

Elle a tourné la tête en direction du soupirail, là par où entrait l'air glacé.

« On s'est perdus, Sylvain. On s'est perdus hier soir.

— Tais-toi ! Dis-moi plutôt combien de fois tu l'as frappé ?

— Deux fois.

— Comment ça s'est passé ? Allons, parle : le temps presse. »

Elle a baissé les yeux avant de dire :

« Il voulait toujours plus. Alors, moi, pour gagner du temps et parce que j'en pouvais plus qu'il cogne et le reste, je lui ai dit que je voulais qu'il me lèche. Il a fermé les yeux et puis il est tombé à genoux. Les yeux fermés il m'a demandé de me mettre devant lui jupe relevée. Alors, j'ai pris la masse et je l'ai réduit, c'est tout. »

Un chien hurlait au loin, ou bien ? J'ai attiré Boule d'Or contre moi. Entre mes bras, son corps a retrouvé sa raideur. Mais cela m'était indifférent, puisque je la tenais encore. Qu'encore je sentais battre son cœur tout contre ma poitrine, qu'encore mes lèvres effleuraient ses cheveux, qu'encore je m'enivrais de son odeur mêlée à celle du feu.

Qu'encore et malgré le désordre où se trouvait plongée mon âme, j'étais heureux. Empli d'un bonheur vague, qui n'avait plus besoin de points d'appui ni de repères. Cela me conférait une force nouvelle et tranquille dont je sentais les bienfaits s'épandre généreusement dans tout mon être, le nantir d'une épaisseur neuve, lui donner une forme que je souhaitais définitive. Réfléchir, il n'était plus temps. Les méandres de la pensée humaine sont innombrables, songeais-je en caressant son cou, je me serais égaré parmi eux, voilà tout.

« Les choses se sont passées différemment, ce n'est pas toi, mais moi qui ai tué Dupuis... »

J'ai bien senti le tressaillement de ses lèvres contre mon poignet, mais sans lui laisser le temps de proférer une parole j'ai poursuivi :

« Oui, quand je l'ai vu sur toi, je suis devenu fou. Toi, tu es innocente de tout. Tu as seulement été témoin de la folie des hommes, c'est tout. Tout ce que tu diras à partir de maintenant n'a plus de poids, n'a plus prise.

— Tu es fou !

— Comme tu le souhaitais. Allons, mets tes mains dans les miennes et répète après moi : je suis innocente de tout. J'ai seulement été le témoin de la folie des hommes.

Boule d'Or a blotti ses mains dans les miennes et doucement a répété :

« Je suis innocente de tout. J'ai seulement été le témoin de la folie des hommes.

— Jure.

— Je jure.

— Que quel que soit l'endroit où je sois enfermé, de ne jamais venir m'y visiter.

— Jamais.

— Malgré mes suppliques.

— Malgré.

— Malgré mes lettres.

— Malgré tes lettres.

— Malgré tout ce que je tenterai pour fléchir ta volonté.

— Malgré.

— Malgré l'insupportable chagrin qu'entraîne cette décision.

— Malgré le chagrin.

— Malgré les revirements de ta pensée, les influences diverses qui ne manqueront pas de s'exercer sur elle.

— Les revirements, les influences.

— Malgré le désir de m'arracher à un sort injuste.

— Malgré le désir de t'arracher à un sort injuste.

— Celui de me crier ton manque de moi, ta haine, celui de me dire enfin de ne plus penser à toi, de t'oublier.

— Tout ça.

— Malgré le temps.

— Malgré lui.

— L'inévitable fascination de la mort.

— L'inévitable.

— La mort.

— La mort.

— Jure, même morte, de ne jamais venir me visiter.

— Je le jure.

— Par ce serment nous nous sommes rendus libres. Nous avons rendu son amplitude au verbe aimer.

— Au verbe aimer. »

Il nous fallait manger et boire. Fêter ! Partager un dernier repas. Après que nos mains se furent désunies, j'ai installé Boule d'Or sur le lit, assise, nos deux oreillers glissés derrière le dos, de façon qu'elle soit confortable et que l'humidité des murs ne la pénètre pas. Cela fait, j'ai entrepris d'allumer le candélabre. Une de mes plus belles formes faite à partir d'étroites tubulures en cuivre rouge, surmontées de bobèches en fer battu, et qui encore n'avait jamais servi. Muette, les bras légèrement écartés du buste, les mains entrouvertes, elle me regardait faire, et j'observai que l'expression de son visage à cet instant m'était parfaitement étrangère. A moins que dans l'amour, fugace, elle ne me fut apparue ? C'était une expression d'une gravité bouleversante, où la tristesse pourtant n'avait pas part, mais plutôt témoignait d'un recueillement intense, une sorte de contraction de tout l'être tendu vers un point inconnu qu'elle n'avait jamais soupçonné exister en elle et auquel, le découvrant, elle se cramponnait.

« Boule, ai-je doucement questionné quand la dernière flamme se fut élevée, veux-tu manger et boire ?

— Beaucoup, me répondit-elle.

Et un petit sourire clos dessina une corne minuscule sur sa joue.

« Très bien, je vais aller chercher ce qu'il nous faut. Ça ne prendra pas longtemps.

— Prends ton temps, ça vaut mieux que de les réveiller.

— Tu ne bouges pas ?

— Et pour aller où ? Sylvain, avant de monter, fais-moi plaisir, enlève-moi mes chaussures, elles me serrent.

Je m'agenouillai et la déchaussai... Nous nous regardâmes, puis l'un après l'autre je baisai ses pieds.

« Cache-les vite, lui dis-je, qu'il fait froid ! »

La petite corne apparut de nouveau. J'inclinai le front, prêt à baiser encore les douces extrémités de son corps, mais elle m'arrêta.

« Va », dit-elle.

Aussitôt, je quittai la cave baignée de clair-obscur.

Sur la pointe des pieds, je suis monté quérir des restes. Cela ne manquait pas. Tout nous était offert, du hors-d'œuvre au dessert. Des fonds de bouteille à volonté. La dépouille du Gros Rat gisait sous le sapin illuminé. Pourquoi l'ai-je ramassée ? Pourquoi l'ai-je revêtue ? A cause du froid peut-être qui régnait dans la cave ? Peut-être pour distraire Boule d'Or, me faire le représentant de l'infiniment petit, qu'on nomme couramment dérisoire ? Je ne sais. Toujours est-il que je me sentais bien dedans. Que ma nouvelle forme s'y mouvait aisément. Cette peau n'avait-elle point jadis été taillée pour moi ? Oui, elle me seyait parfaitement ; elle me convenait bien mieux que l'autre, celle qui m'était tombée des bras, là-bas. Certes, la mue avait été douloureuse. Mais on ne naît pas en une fois. Il y aurait d'autres mues, je le savais, jusqu'à ce que sous les diverses peaux qui nous enveloppent se montre l'os, tout nu. Jusqu'à ce que nous n'ayons plus rien à offrir que cette frêle échelle, ce mince témoin d'une existence vécue bon an mal an. Ce chef-d'œuvre signé de la main d'un créateur qui, en refusant de se montrer à nous, nous écrase, nous contraint à avoir recours à des dieux subsidiaires tels que : gloire, confort, pouvoir, performances, temps — lesquels nous étranglent à peine sorti de l'œuf et nous rejettent, pantelants, à la terre nourricière. Mais qui nourrit-elle la terre aujour-d'hui, sinon de dociles robots et quelques vaches éparpillées qui, de surcroît, sont les dernières ?

L'esprit en tumulte, je suis sorti sur le balcon pour respirer plus librement. La nuit était glaciale mais tout le jardin, qu'éclairait violemment la lumière de la lune, scintillait, comme si une horde de lampyres l'avait sournoisement assiégé. Un chien aboyait au loin, un autre lui faisait écho et leurs aboiements s'unissaient, montaient en une même plainte vers le ciel étoilé, puis se perdaient dans le grand vide. Comment le monde pouvait-il être si hostile lorsque la nuit était si belle, si vaste, si pleine de mystère, si catégorique dans son mouvement, ce qui la rendait rassurante ? Je voulais parler de tout cela à Boule d'Or, des mues successives, des dieux subsidiaires, des hommes étranglés, des dernières vaches paissant dans les prés. Lui dire que, comme nous, la civilisation a atteint un sommet, d'où il va lui falloir par force redescendre. Quand j'ai regagné la cave, les bras chargés de ce qui composait notre dernier repas, elle n'était plus sur notre lit. Mais pendue à la potence autrefois par moi élevée ! La pointe de ses pieds touchait à celle des herbes hautes que je cultivais en secret.

J'ai coupé la corde qui étranglait son cou. Trop tard ! Son cœur ne battait plus. La mort avait fait son travail, tandis que le sang sous sa peau ruisselait encore chaud. Longtemps j'ai gardé dans mes bras, serrée, ma bien-aimée, puis, à bout de forces et de chagrin, je l'ai couchée sur notre lit. Rendue à l'infiniment petit, tout entière nimbée de lumière, elle était souverainement belle. Je l'ai couverte jusqu'à mi-corps, des fois qu'après la mort... Je ne voulais pas qu'elle ait froid, plus jamais. J'ai ramené sa queue d'épimaque superbe sur son épaule. Lissé la brosse de ses cheveux du bout des lèvres. Baisé sa bouche. Enfin j'ai fermé ses grands yeux d'obsidienne.

Elle dort. Je veille. J'attends qu'ils viennent. Le monde autour de nous s'éveille. Nous y fûmes fugitivement heureux.

En vertu de l'article 64 du Code pénal qui dit « qu'il n'y a ni crime ni délit lorsque le prévenu était en état de démence au temps de l'action, ou lorsqu'il a été contraint par une force à laquelle il n'a pu résister », j'ai été soustrait à la justice des hommes et je vis parmi ceux relégués à l'oubli.

Tous les êtres qui sont ici, monsieur, ont fait une chose que la société réprouve : ils ont tué, ou tenté de le faire. On a dû me mettre là par hasard, par erreur, par manque de place ailleurs, puisque je ne me souviens pas avoir commis l'irréparable. J'ai mis le feu, je sais, je n'ai pas oublié et je n'oublierai pas. Je n'oublierai rien. D'autant que Boule d'Or n'a pas tenu sa promesse, qu'elle vient me visiter sans cesse. Partout où je pose les yeux, elle est là, superbe, souveraine et partout comme en son domaine. Sa présence, loin de m'accabler, d'engendrer en moi des regrets, me rend fort, et je puise dans le souvenir de notre amour l'énergie indispensable qu'il faut ici pour ne point sombrer dans le désespoir. Qui lui aussi s'impose. Céder à son attrait me serait fatal puisqu'à même de déclencher toutes sortes de réactions les plus diverses, dont aucune n'échapperait à la multitude qui, le nez chaussé de verres grossissants, m'examine les méninges. Qu'adviendrait-il de moi alors, en ces lieux où le pire est chez lui, où plus que partout ailleurs il souligne notre peu de poids, et par la célérité qu'il a de surprendre nous expose constamment à l'imprévu ? C'est pourquoi il vous faut savoir que si un jour j'interromps de manière abrupte ce récit, que j'intitulerai « Parallèle terrestre », ce sera parce qu'ils m'auront brisé les doigts. Souvenez-vous-en, monsieur : ce récit ne sera interrompu que parce qu'ils m'auront brisé les doigts. Il y aura alors un silence entre nous, car il n'est pas aisé du jour au lendemain de tenir sa plume entre ses dents. Sous aucun autre motif que celui de la brisure faite à mes doigts, qui aura pour toujours privé ceux-ci de leur usage, ce récit ne sera interrompu. Oublions la mort, qui ainsi que vous le savez peut survenir à tout instant. On en parle autour de moi. Je dirai même que l'on ne parle que de ça. Les lèvres de ceux qui le font ont une résonance de bois. Cela me fait penser au grand silence de la forêt en hiver, seul troublé par le bruit de la cognée du bûcheron solitaire. Si je ferme les yeux, je vois la sciure voler dans la lumière et les larmes de sève jaillir du tronc fraîchement entaillé. Ça n'a pas changé, et bien que le temps ait passé furieusement, aujourd'hui encore quand je vois un arbre pleurer, je m'agenouille auprès de lui et je l'étreins. Les arbres désormais me parlent mieux que les humains.

Mon geste, semble-t-il, a inspiré tant d'horreur aux miens que je me retrouve orphelin. Mais n'est-ce pas ce que je voulais au fond ? Les cellules, quelles qu'elles soient, ont toujours suscité en moi tant de méfiance. Mon rêve était de courir le monde de façon à ne m'attacher à aucun paysage, à aucune coutume, aux êtres certes, mais seulement passagèrement. Je caressais le souhait de parler toutes les langues du globe de manière à ne pas être restreint par la mienne, à pouvoir franchir aisément ses obstacles quand bon me semblerait. La liberté, croyais-je, résidait dans le langage fluide. Pouvoir se faire comprendre et entendre partout. Le langage comme passe-partout.

Ainsi que vous le voyez, j'avais des ambitions démesurées. Je croyais en effet qu'il était possible de vivre libre. Je me trompais. Partout autour de moi il y avait des haches, des épouvantes. Je grandissais, à mon insu la hache en moi forgeait sa lame. Le bel outil guerrier ! Mais j'ignorais si je devais le prendre par le manche ou par le tranchant. Si je m'en servais, c'était mal. Je le remisais donc en moi et l'y laissais rouiller, inutile dès lors. Parfois il me pesait, et me venait l'envie sauvage de l'extraire de sa cache.

Aujourd'hui, il ne me pèse plus. J'ai compris que mon salut n'est pas dans cette arme qui dort : mon salut est de persister, à travers les formes qui m'oppriment et m'oppressent, à tenter d'ouvrir une percée par où ma pensée prendra son essor. Mais m'en laissera-t-on le temps ? La pensée, justement, on la trafique ici. Dans ce cas, je n'aurai plus que mon silence à opposer aux forces du mal. C'est peu, monsieur, et c'est pourquoi, bien que le délai d'envoi soit expiré et que mon texte en maints endroits ne soit pas conforme à vos exigences, j'espère néanmoins que, quand ces pages vous parviendront, vous voudrez bien y accorder un instant d'attention.

Respectueusement vôtre
Sylvain Fantin.

Centre psychothérapique de V.E.,
juin-août 1986.

Imprimé en France

*Cet ouvrage a été reproduit
par procédé photomécanique
et réalisé sur Système Cameron
par la SOCIÉTÉ NOUVELLE FIRMIN-DIDOT
Mesnil-sur-l'Estrée
pour le compte des Éditions Hachette
le 6 février 1987*

N° d'édition : 87005/4362 – N'' d'impression : 6206
Dépôt légal : 3066 – février/1987
ISBN 2.01.011462-0
23.63.4098.01/2